LE V

Emmanuel Roblès est né à Oran (Algérie) en 1914. Son premier roman, L'Action, *a paru en 1938 à Alger où il vit avant de se fixer à Paris. D'autres romans suivent, dont* Le Vésuve, Les Couteaux, Les Hauteurs de la ville *pour lequel le Prix Fémina lui est décerné en 1948,* Cela s'appelle l'aurore *porté à l'écran par Luis Bunuel,* Un Printemps d'Italie, *etc.*
Emmanuel Roblès est également l'auteur de recueils de nouvelles et d'essais. Il s'est révélé dramaturge avec des pièces comme Montserrat *(1948),* La Vérité est morte *(1952) créée par la Comédie-Française et* Plaidoyer pour un rebelle *(1965). On lui doit aussi de nombreuses traductions d'écrivains espagnols.*

Le lieutenant Serge Longereau, du Corps expéditionnaire français, passe à Naples sa permission de convalescence. En ce mois de février 1944, la ville semble bouillonner d'ardeur à vivre en dépit — ou justement à cause — des bombardements et de l'écho à peine assourdi des combats qui se livrent dans la région : le temps est trop mesuré à tous pour le gaspiller. Serge comprend d'autant mieux les Napolitains qu'il brûle de la même fièvre. C'est dans cette disposition d'esprit qu'il fait la connaissance de Silvia.
Elles est réservée, ironique, lointaine — il n'en est que plus épris, plus attaché à la conquérir. Quand, enfin, elle cède, il découvre une Silvia passionnée qui l'incite à déserter et s'organise pour que leur bonheur se poursuive dans la clandestinité. La tentation est grande de laisser les autres se débrouiller avec cette guerre dont il a eu sa part, mais le sens de la solidarité est le plus fort : il rejoint quand même son unité. Grièvement blessé, il sera réformé — ainsi pourra-t-il vivre auprès de Silvia avec honneur.
Le malheur, c'est que Silvia n'a pas les mêmes idées que lui sur ce qui est l'essentiel en ce monde. Comme l'écrivait Pierre-Henri Simon : « Un malentendu existe entre eux, qu'ils ont reconnu : et il ne leur reste sans doute plus d'autre chance que de surmonter la désillusion de l'amour sublime par une tendresse modeste. Il est bon qu'il en aille ainsi : la montagne ne peut pas toujours vomir les flammes, il faut que les laves refroidissent pour qu'alentour refleurissent les oliviers et les orangers. »

ŒUVRES D'EMMANUEL ROBLÈS

Aux Éditions du Seuil :

FEDERICA, *roman.*
LES COUTEAUX, *roman.*
LA MORT EN FACE, *nouvelles.*
L'HORLOGE, *suivi de* PORFIRIO, *théâtre.*
LES HAUTEURS DE LA VILLE, *roman.*
(Prix Fémina 1948)
CELA S'APPELLE L'AURORE, *roman.*
LA VÉRITÉ EST MORTE, *théâtre.*
L'HOMME D'AVRIL, *nouvelles.*
MONTSERRAT, *théâtre.*

Chez d'autres éditeurs :

L'ACTION, *roman.*
TRAVAIL D'HOMME, *roman.*
NUITS SUR LE MONDE, *nouvelles.*
LA VALLÉE DU PARADIS, *roman.*
GARCIA LORCA, *essai.*

Dans Le Livre de Poche :

LES HAUTEURS DE LA VILLE.
MONTSERRAT.

EMMANUEL ROBLÈS

Le Vésuve

ROMAN

ÉDITIONS DU SEUIL

PREMIERE PARTIE

[illegible]

[illegible] tilles et de morceaux [illegible] jour, [illegible] à l'orgue de [illegible]. [illegible] sommet [illegible] et dure, [illegible] de bled, qui lui donnait un air japonais. Au-dessus du port, [illegible] de longs bateaux gris enveloppés de brume, des ballons d'argent se balançaient au bout de leur [illegible]. Je venais de sortir de l'hôpital et j'avais un tel appétit de bonheur qu'il me semblait que rien au monde ne parviendrait jamais à l'apaiser. D'autres permissionnaires flânaient comme moi, Américains, Canadiens, Polonais, [illegible] [illegible]

[illegible]

reposer, lire le quotidien *Risorgimento*, boire un vermouth et engager la conversation avec le patron qui s'étonnait toujours de m'entendre parler un italien parfait. J'expliquais que j'étais français, natif de Bône en Algérie, où j'avais fréquenté, dans mon enfance, de jeunes Italiens, fils de réfugiés antifascistes.

« Antifascistes ? Mais ici aussi, nous le sommes tous, monsieur le lieutenant ! «

J'aimais les Napolitains pour beaucoup de raisons, mais en premier lieu pour leur don merveilleux d'entrer d'instinct dans votre jeu. Et je parlais d'Alger, du Sahara, des palmiers et des dunes et des plages solitaires au pied du Chenoua. C'était une manière de les intéresser à moi et d'épuiser en même temps une nostalgie qui souvent me déchirait. S'il y avait au comptoir quelque jolie fille j'ajoutais à mes propos juste une petite pointe de lyrisme, surtout après trois ou quatre vermouths. Je parlais moins volontiers de ma blessure mais il m'arrivait de mentionner que j'étais bénéficiaire d'une permission de convalescence et tous les clients du bar se mettaient alors à maudire la guerre sur un ton passionné qui me grisait. Ou l'on me souhaitait aussi de bien profiter de ces semaines de répit et quelque chose en moi s'attendrissait à tant de chaleur, de cordialité. J'avais dans ces heures-là le pressentiment d'une joie immense qui m'attendait à Naples, un jour prochain, à un détour, une joie que je méritais avant de remonter là-haut.

Je continuais ma promenade, je me fourvoyais dans des quartiers pauvres ou des femmes et des enfants me prenaient pour un Américain, à cause de l'uniforme US que nous portions, et sollicitaient des savonnettes et du chocolat. Je retournais mes poches une à une pour leur prouver qu'elles étaient vides et les convaincre que j'étais français.

Des jeunes gens offraient de me conduire auprès de leur sœur — *la mia sorella* — et m'assuraient qu'elle avait quinze ans — *quindici anni, signor tenente* — qu'elle était vierge et que je lui plairais. Mais je savais leur malice. Si j'acceptais, ils me feraient payer d'avance leurs bons offices et m'entraîneraient dans le repaire d'une matrone mamelue, au sourire sanglant, aux doigts boudinés. C'est ce que je leur disais en refusant avec douceur et ils riaient avec moi puis me quittaient brusquement.

J'aimerais vous parler tout de suite de Silvia mais j'ai besoin de rapporter d'abord dans quel état d'esprit je me trouvais à Naples, en février 1944, à ma sortie de l'hôpital, seul, avec cette douleur fatiguée qui me prenait tout le flanc gauche. Peut-être ai-je besoin aussi d'éclairer pour moi-même un univers intérieur que je connaissais mal, que j'avais à peine commencé d'explorer après ma blessure et durant ces longs jours d'immobilité forcée.

On m'avait logé près de la piazza Dante, en haut de là via Roma, au 30 de la rue Domenico Soriano, dans une vaste maison avec une cour ornée d'une profusion de plantes vertes d'où montait une odeur profonde de grotte humide et de jardin.

Le logement dont j'occupais une des chambres appartenait à une vieille dame toujours vêtue de la même robe de laine bleue et les doigts chargés de bagues. Veuve d'un haut fonctionnaire des douanes, la signora Ruggieri était d'une politesse exquise et désuète et conservait grand air malgré des malheurs qui l'avaient éprouvée. Elle était de bonne taille, maigre et droite, le visage fripé, les cheveux gris coupés court et son œil se chargeait parfois d'une ironie discrète et indulgente. Elle m'avait accueilli comme un hôte de qualité sans daigner jeter un regard sur le billet de réquisition qui m'imposait chez elle et je l'avais suivie à travers de vastes pièces meublées de tables aux pieds sculptés en pattes de lion, d'armoires et de divans en acajou, ornés d'aigles en cuivre et de faisceaux de licteurs. Devant toutes les fenêtres tombaient de blancs et lourds rideaux dont brillaient les couronnes de lauriers tissées de fils d'or et je croisais mon image dans des miroirs encadrés de fers forgés à l'espagnole.

Lorsque fut achevée mon installation, dans une chambre où le lit — immense — occupait une alcôve tapissée de rose sous le portrait sévère d'un militaire à brandebourgs et favoris, je sollicitai un bain et Mme Ruggieri s'offrit pour le faire couler elle-même dans la salle voisine de l'office. La baignoire en forme de sabot évoquait irrésistiblement la mort de Marat et comme elle était haute je compris que je ne m'y plongerais pas facilement à cause de ma hanche encore ankylosée. Mme Ruggieri proposa de m'aider, non sans m'avoir assuré « qu'elle savait comment était fait un homme ». Ce fut dit d'un ton si maternel que je me mis nu sans trop d'embarras. Il est vrai qu'à l'hôpital d'énergiques infirmières m'avaient quotidiennement entraîné à des situations de ce genre. Mais je ne pus éviter que Mme Ruggieri observât ma cicatrice qui, dans une courbe audacieuse, descendait de l'estomac au niveau de la cuisse et dessinait un cimeterre d'un rose pâle à la garde compliquée. Au milieu de la courbe la chair se creusait et dans le sillon la peau neuve brillait comme de la soie.

« Mais on ne peut vous obliger à vous battre encore ! » gémit Mme Ruggieri avec une charmante indignation.

Je répondis que le chirurgien qui m'avait soigné m'avait recommandé de marcher beaucoup en assurant qu'après quelques semaines il n'y paraîtrait plus. J'avais parlé avec un détachement étudié. Devant cette vieille dame tout émue de compassion, je tenais à dissimuler soigneusement mes sentiments mais je savais que j'étais comme ces bestiaires qui, à leur première blessure grave dans l'arène, ne retrouvent plus leur ancien courage et avancent désormais à la rencontre du fauve l'âme en déroute et le ventre contracté.

La pensée que dans quelques semaines je devrais retourner là-haut m'attrista. Penchée sur moi, Mme Ruggieri me savonnait le dos avec application. D'un des robinets en forme de tête de cygne se dégageait une fine vapeur et comme je levais les yeux vers le plafond, je découvris une fresque de style pompéien. Malgré les taches d'humidité qui la dégradaient, on distinguait fort bien un couple de beaux jeunes gens. Tout nus et souriants ils se livraient à des jeux érotiques au bord d'une piscine. La jolie baigneuse tenait dans ses mains le sexe du garçon tandis que celui-ci lui caressait la gorge

Ma première journée à Naples, je la passai donc dans cette attente confuse d'une joie prodigieuse qui s'abattrait sur moi comme la foudre. Et je flânais à travers la ville où presque tous les passants napolitains avaient l'air de me dire, de leur regard noir et rusé : « *Pazienza, pazienza, signor tenente !* » et je m'arrêtais dans les cafés autour de la Galleria Umberto Primo et du Palazzo San Giacomo. Je consacrai aussi une partie de l'après-midi à visiter l'Aquarium, entre la Riviera di Chiaïa et la via Caracciolo, où me retint le spectacle fabuleux des méduses, « la plus belle collection du monde », à en croire le gardien. Il y en avait de larges, en forme de bouclier d'où dépassaient des sortes de tentacules. Et d'autres plus petites, comme des ampoules de verre, et longtemps je restai à observer ces êtres qui m'angoissaient, dont la vie se manifestait par des pulsations lentes, des battements de leurs filaments vermiculaires et, au creux de vaisseaux transparents, par des mouvements d'eau irisée dans la masse gélatineuse. Elles se déplaçaient à peine et brillaient sous la lumière qui éclairait les bocaux.

A la tombée de la nuit, j'allai m'accouder au parapet face à la mer. Je regardai les effets grandiloquents du crépuscule sur les cargos amarrés dans la rade, sur le Castel dell'Ovo, puissant et rouge, et sur les îles, au loin, effacées par des brumes charbonneuses. Je dînai seul au mess des officiers et passai ensuite une heure dans un dancing voisin, l'Arizona, via Baracca, une ruelle perpendiculaire à la via Roma. Je terminai la soirée avec une fille — brune aux yeux verts, la mine effrontée, les seins abondants, magnifiques — qui m'entraîna dans une maison de passe où la gérante nous loua une chambre ornée de rideaux de tulle et de vastes miroirs, carrelée de marbre, éclairée d'une froide lumière. J'eus l'impression de pénétrer dans le corps d'une gigantesque méduse et je demandai à ma compagne si elle ne connaissait pas un endroit plus intime pour nos ébats. Mais elle me regarda d'un air malheureux, dit « non, non ! », se pressa contre moi, me jura qu'elle me ferait oublier ce décor et, ma foi, tint parole. Lorsque je ressortis, je commençais vraiment à aimer Naples. J'avais compris que je ressemblais à cette ville et que tant d'ardeur à vivre était faite aussi de désespoir.

Je m'attardai ensuite dans le vieux quartier tout enténébré à cause du black-out.

« Ce qu'il nous faudrait, me dit un Napolitain rencontré Dieu sait où, ce sont des plans quinquennaux et de la pudeur. Mais, surtout, de la pudeur ! »

Nous étions ivres tous les deux et je ne m'étais même pas aperçu que le bar où je me trouvais était dans une zone « off limits ». Un grand M.P. qui mâchait du chewing-gum et ressemblait à Roosevelt me le fit constater sévèrement et je repartis, convaincu que nulle part au monde je n'obtiendrais cette paix absolue, définitive, à laquelle, depuis ma sortie de l'hôpital, toute mon âme aspirait.

Le M.P. m'accompagna jusqu'à la limite autorisée, me sermonna une dernière fois en tenant sa lampe électrique cruellement braquée sur mon visage. Il se tut lorsque je lui dis avec effort qu'il me rappelait une des plus visqueuses méduses que les plus noirs océans eussent enfantées.

« Damn !... » jura-t-il entre ses longues dents blanches.

Je ne saurais dire comment je me retrouvai sur le palier de Mme Ruggieri. Je gardais le souvenir effiloché d'une course en jeep à travers de longues et funèbres avenues, mais d'où sortait cette jeep et qui la conduisait ? Je doutais même qu'un conducteur se fût trouvé au volant et j'étais prêt à jurer que cet engin s'était diaboliquement guidé tout seul. Un moment je restai dans l'antichambre, debout, accablé, frissonnant, à me demander si l'on ne pouvait pas mourir d'indifférence à soi-même et je devais me poser la question avec force et insistance car la lumière jaillit, Joe Cohen surgit en pyjama et me dit :

« C'est toi, Serge ? Cesse donc de crier comme ça ! »

AVANT de vous parler de Silvia, je dois aussi vous parler de Joe Cohen car, somme toute, c'est lui qui est à l'origine des événements qui ont suivi.

Il s'appelait Lucien Cohen et nous l'avions surnommé Joe — que nous prononcions Djô — parce qu'il savait l'anglais et le *slang*, appris au cours de trois ou quatre années passées à New York et Chicago. Son accent étonnait jusqu'aux soldats américains.

Nous appartenions au même bataillon. Blessé à l'attaque du Monna Casale, soigné à l'hôpital de Capoue, il en était sorti depuis quatre jours. Tout en me passant une serviette mouillée sur le visage, il m'expliquait qu'il avait su mon adresse et tout de suite avait obtenu du service des logements une chambre chez Mme Ruggieri. Depuis deux heures, il m'attendait. Je ne cessais de lui répéter :

« Merveilleux, Joe ! Toi et moi ! Ici !... Nous allons fêter ça ! Merveilleux, Joe ! Prodigieux, non ? »

Et lui me conseillait de rester encore allongé, de ne pas hurler et d'attendre qu'il m'eût préparé du café pour me dégriser.

Dans la vie civile, Joe était pianiste. A l'époque où je l'avais connu à Alger, il dirigeait un petit orchestre qu'on louait selon la saison pour les bals du samedi et du dimanche à Bab el Oued et Saint-Eugène ou pour les « apéritifs-concerts » dans les beaux restaurants sur les plages renommées. Parti pour Paris, et ensuite les Etats-Unis, il était revenu en Algérie s'engager. Au milieu de janvier, alors qu'il courait à l'assaut d'un poste de mortiers, en tête de ses hommes, un éclat de grenade lui avait arraché le téton gauche. Plus tard, la jolie infirmière qui le soignait prétendit qu'elle avait vu son cœur. Et Joe, galant, de répondre : « Vous avez donc pu vérifier, ma chère, que votre nom seul y était gravé. »

Il avait un visage long, très brun, les sourcils épais et noirs, avec d'admirables yeux gris qu'on aurait dit fardés à cause des cils très fournis et sombres, et des paupières légèrement bistrées. Dans une lumière vive, les iris paraissaient devenir encore plus clairs et l'on ne voyait alors que les pupilles aiguës, ce qui lui donnait un regard tendu, magnétique. Même avant sa blessure, Joe avait toujours été maigre, mais il avait un corps nerveux et musclé. On devinait en lui une énergie concentrée que révélait parfois sa manière de se mordre les lèvres ou de se masser durement les mains.

Je l'entendais remuer des ustensiles dans la cuisine. Quelle heure pouvait-il être ? Je n'avais pas du tout sommeil et ma joie d'avoir retrouvé Joe semblait dissiper des brumes dans ma tête. J'allongeai la main, écartai le rideau de la fenêtre derrière le divan et, de l'autre côté de la cour, j'aperçus une jeune femme à sa toilette.

Elle ne se souciait pas du black-out puisque la chambre ne donnait pas sur la rue. Lorsqu'elle retira sa chemise elle apparut toute nue, belle, de formes pleines.

Un moment, je restai attentif à chacun de ses gestes, aux mouvements aisés de son corps, à sa chair lisse et brillante, à ses seins larges, à ses fortes cuisses le long desquelles jouait la lumière de l'ampoule. Puis elle sortit du champ de mon regard et en soupirant je laissai retomber le rideau. Déjà, une tasse de café à la main, Joe revenait, d'un pas silencieux sur ses pieds nus.

« Joe, dis-je dès qu'il fut à mon chevet, j'ai une peur noire de retourner là-haut.

— Ça te passera, dit-il. Ceux qui sortent de l'hôpital ressentent tous cette espèce d'inappétence. »

Je bus en quelques gorgées le café brûlant et je tentai ensuite d'expliquer à Joe comment j'avais acquis la certitude, en errant à travers les rues de Naples, que bientôt je serais tué et que cette mort n'aurait aucun sens.

« C'est un sentiment que je ne peux comprendre, dit-il. Je suis juif et depuis deux mille ans, chaque fois qu'on tue un Juif, ça a un sens.

— Méfie-toi, Joe.

— De quoi ?

— De ne pas considérer cette guerre comme une affaire personnelle ! »

Il se frappa sur les cuisses et s'exclama :

« Hé ! C'est qu'elle est — aussi ! — une affaire personnelle ! »

Lorsque Joe évoquait les nazis, il semblait créer subitement autour de lui une sphère magique, comme une énorme bulle de haine traversée de frissons électriques. Son pyjama ouvert sur le torse laissait voir les lanières de son bandage. Je n'aurais pas été étonné que son cœur puissant, dans sa colère, les fît éclater.

« Joe, ne parlons pas de la guerre. Parlons de Naples. Parlons surtout des Napolitaines. »

Je m'étais de nouveau allongé sur le divan, mes brodequins sur les riches coussins de soie et de satin, et je regardais Joe allumer une cigarette dont la fumée formait comme une auréole autour de sa belle tête de rapace orgueilleux.

« Naples est un piège terrible, dit-il. Je crois, Serge, que les Allemands se sont volontairement retirés au nord pour nous laisser nous enliser. Le Corps expéditionnaire tout entier est en danger de disparaître peu à peu dans Naples. Tu as entendu parler de ce tank que les Napolitains ont volé et démonté pièce à pièce ? »

Je fis oui d'un simple battement des paupières. J'aimais l'esprit de Joe, son humour, sa faconde. Et je connaissais l'histoire du tank et même celle du Liberty-ship qui déjà faisaient partie du folklore napolitain.

« Ce Liberty-ship, ils l'on découpé au chalumeau et vendu à la ferraille ! Serge, nous avons à l'heure actuelle six mille bons soldats alliés dans les centres antivénériens autour de Naples ! Si nous restons deux mois de plus ici, toute l'armée de Libération risque d'être anéantie. Il faudrait sans tarder prendre l'offensive non seulement pour enfoncer les Allemands vers le nord, mais surtout pour fuir ce danger mortel de Naples ! »

Il tira sur sa cigarette, m'apparut les yeux pleins d'éclairs au centre d'un nimbe de fumée rose.

« Prends garde, Serge. Dans cette ville tu es beaucoup plus en danger que là-haut. Là-haut, tu risques simplement d'être tué ou, en mettant les choses au pire, de contracter une pneumonie. Ici, tu peux laisser jusqu'à ton ombre ! A Naples tu n'existes pas comme individu, comme être humain ! As-tu observé la manière dont les Napolitains te regardent ? Ils ne voient en toi qu'une proie sans défense ! Ils évaluent du premier coup d'œil ce que tu vaux en poids de savonnette, de chocolat et de corned-beef ! Ils supputent en un éclair le nombre de lires qu'ils peuvent te soutirer si tu cèdes à leurs cajoleries et tombes entre leurs mains ! Et surtout, ils cherchent à marier au plus vite leurs filles à de riches, à de tendres, à de confiants combattants alliés ! Méfie-toi ! »

Je l'assurai que je me méfierais, que je saurais protéger mon âme et mon portefeuille, et que j'avais déjà senti sur moi le fameux regard napolitain, et que dans cette ville affamée je me faisais l'effet d'un insecte maladroit aux prises avec ces plantes carnivores des Tropiques, sombres et séduisantes, aux couleurs somptueuses, au parfum violent et dont les beaux pétales engluent les imprudents avant de se fermer sur eux.

Je soulevai le rideau dans l'espoir que la femme nue se montrerait de nouveau, mais elle était occupée devant le lavabo et la lumière projetait seulement son ombre sur le mur blanc, une ombre déformée, grotesque, comme celle d'un gorille au dos énorme, à la tête hérissée.

Je passai ainsi la plus grande partie de la nuit, à bavarder avec Joe, à évoquer des souvenirs, à boire du café et du gin, à fumer des cigarettes américaines dont les cendres et les mégots remplirent un des lourds plats d'argent qui ornaient le mur et que j'avais décroché, un plat décoré de guerriers antiques avec des casques à crinière et des barbes annelées.

Les premières lueurs de l'aube descendirent en poudre fine dans la cour et se posèrent délicatement sur les feuilles métalliques des arums et des figuiers. La même lumière devait glisser du ciel sur les champs de neige et les rocailles, là-haut, et les guetteurs transis l'accueillaient aux créneaux avec soulagement, comme l'eau d'une fontaine merveilleuse, comme la preuve d'une sensibilité réelle et consolante de la nature. Des hommes émergeaient des trous d'ombre avec leurs yeux cernés qui regardaient les brumes satinées du matin, la neige bleue sur les pentes, les hautes et dures étraves des falaises qui, loin au-dessus des têtes, s'enfonçaient victorieusement déjà dans le flot montant du soleil.

Je connaissais bien cette heure. Chacun pense à la mort en admirant les premières palpitations du ciel, en réajustant les couvertures placées en capuchon sur les épaules, en s'écartant pour aller uriner à jets brûlants sur les plaques de glace.

Joe avait paru suivre sur mon visage le jeu de ma rêverie. Il abandonna brusquement sa cigarette sur le plat d'argent et me dit qu'il était temps pour moi d'aller dormir. Je me levai pesamment, tapotai les coussins écrasés pour leur redonner du volume.

Et c'est à cet instant précis — comment l'oublierai-je ? — à cet instant où la tête pesante et tout envahie de pensées moroses j'allais gagner ma chambre, que Joe prononça les simples mots d'où Silvia devait naître.

« Serge, veux-tu écouter ce soir un concert au théâtre San Carlo ?

— Un concert ? »

J'hésitais. N'avais-je pas mieux à faire ? Peut-être avec un peu de chance pourrais-je retrouver cette fille aux yeux verts qui m'avait donné une belle heure de plaisir.

« C'est un excellent orchestre italien, ajouta Joe. J'avais retenu deux places. Il suffit de les retirer dans une librairie voisine, tout près d'ici. Sinon elles seront perdues.

— Pourquoi ?

— Je devais me rendre au San Carlo avec mon infirmière. Au dernier moment, elle a préféré une excursion à Capri. Elle arrivera de Capoue ce matin même, avec une permission de vingt-quatre heures.

— Qu'est-ce que vous allez faire à Capri ?

— Du piano à quatre mains.

— Joe, par pitié, ménage-moi. J'ai la cervelle comme une éponge.

— Bon. Alors ?

— Tu pourrais te faire rembourser les billets ?

— Trop tard. Seulement la veille. Et c'est le jour J.

— Ça va, dis-je. J'irai. Mais c'est bien pour te rendre service. »

Il me donna l'adresse de la librairie, assura que je trouverais certainement une jolie fille à qui offrir l'aubaine du second billet et m'accompagna jusqu'à ma chambre en m'empêchant de frapper aux autres portes dans le couloir. Il m'aida même à me déshabiller et, durant l'opération, je lui récitai, paraît-il, avec beaucoup de sentiment le fameux poème : « J'ai rendez-vous avec la mort, un soir sur une colline en feu, lorsque le printemps montera vers le nord... »

SELON les prescriptions de Joe, Mme Ruggieri vint me réveiller à deux heures de l'après-midi. Elle m'apportait sur un plateau deux œufs frits, une salade de tomate et d'olives noires, une tranche de corned-beef avec une demi-bouteille d'un affreux vin rouge. Je m'excusai d'avoir dormi tout habillé.

« Mais non, dit-elle. Vous avez votre pyjama.

— Et les souliers ? A-t-on pensé à me retirer les chaussures ? »

Joe avait pensé à tout, mais j'avais l'esprit qui fuyait doucement. Assis sur le lit, je sortais de moi, je coulais de moi comme l'eau d'une jarre fêlée.

« Le *tenente* Cohen, ajouta Mme Ruggieri, a laissé ce papier avec l'adresse d'une librairie où vous devez passer.

— Je vois ce que c'est », dis-je.

Et je bâillai, peut-être, à l'idée de ce fameux concert. J'avais envie de céder les places à ma logeuse. Ou de l'inviter. Pourquoi non ? C'était une excellente femme. Elle se tenait à mon chevet, me surveillait, prête à intervenir si je bousculais le plateau.

« Vous n'êtes pas bien réveillé, *tenente !* »

Elle repartit et je déjeunai rapidement. Ensuite je demeurai un moment allongé, le regard sur le lustre à pendeloques de cristal, à rêver à la femme entrevue par la fenêtre de Joe. Dieu, que j'aurais aimé l'avoir à cette heure contre moi, mettre mon visage dans ses cheveux ou entre ses seins, et rester longtemps ainsi, comme si le temps n'existait plus, ni la guerre, ni la souffrance.

Je me levai, passai dans la salle de bain, obsédé par l'image de l'inconnue et aussi par le souvenir de mon réveil à l'hôpital. Je me rappelais la manière dont j'avais touché un à un les objets qui m'entouraient, comment j'avais écouté avec une attention passionnée les moindres bruits. J'émergeais d'une sorte de petite mort et je nageais avec prudence dans un présent qui me ravissait et me terrifiait. A la première personne qui était venue me voir — une grasse Italienne au profil d'empereur romain — j'avais demandé à me regarder dans un miroir et j'avais été fasciné par mes propres yeux, enfoncés dans les minuscules grottes des orbites, à l'affût de moi-même, troublants et comme attristés par quelque découverte définitive. Et il est vrai que jusque-là je n'avais eu de la mort qu'une conception plutôt intellectuelle, alors qu'à présent je la sentais en moi, intimement liée à ma chair, à mes os, aux chocs de mon sang...

Lorsque je sortis de chez Mme Ruggieri, que je traversai la cour humide — toutes les feuilles et les corolles emperlées par une averse récente —, j'éprouvai cette même angoissante sensation « d'émergence », comme si je venais à peine d'arriver au monde et que chaque objet ait eu un air d'absence, d'éloignement, d'étrangeté. Si j'avais confié mon état d'esprit à Joe, je suis persuadé qu'il aurait ironisé, parlé de « gueule de bois », et moi je savais bien, cet après-midi-là, qu'il s'agissait d'autre chose.

Je savais bien moi, en cet après-midi de février, à Naples, en 1944, sur la piazza Dante où se promenaient des soldats sardes avec sur le bras de leur vareuse l'écusson à quatre têtes de Maures, où sous la statue de Dante un large panneau jaune portait deux lettres géantes : *V. D.*, je savais bien que je n'acceptais pas de mourir. Je veux dire : de mourir sans avoir connu un de ces grands éblouissements de l'âme qui justifie le passage sur la terre !

Je regardai la statue de Dante outragée par les pigeons, mais les yeux de marbre semblaient, du haut du socle, lire avec dégoût le texte du panneau jaune qui mettait les soldats américains en garde contre les *venerian disease*, indiquait l'adresse de la plus proche cabine prophylactique dont on voyait d'ailleurs briller la lampe verte à l'entrée même de la via Roma.

Ah ! les Américains se défendaient âprement contre Naples. On prétendait que les maladies vénériennes avaient causé plus de pertes à la 5e Armée que les opérations militaires depuis le débarquement de Salerne.

Toutes mes pensées dévièrent vers le souvenir de la fille aux yeux verts et intérieurement je lui souris. J'étais certain qu'elle était saine et j'aurais aimé la retrouver.

Je passai sous la porte Alba, pris par la via San Pietro où d'anciennes affiches mussoliniennes exhortaient à la résistance la plus farouche, « *tutti sul fronte !* » et j'avançais dans l'air glacé, le cœur dolent, la hanche engourdie, ce qui me faisait légèrement traîner la jambe.

J'atteignis la librairie Varella qui faisait également office d'agence théâtrale et dont la vitrine montrait des livres, des reproductions réduites de pièces célèbres du Musée national : le Silène ivre, le Satyre dansant, le Narcisse, et des collections de timbres et de monnaies, des autographes de Gabriele d'Annunzio, d'Anatole France, de la comtesse de Noailles... Je m'attardai à regarder de beaux camées dans des écrins de velours incarnat et une médaille antique qui représentait une déesse casquée, au noble profil, au sourire hautain.

Dès que j'eus franchi le seuil, je me trouvai dans la pénombre d'un magasin étroit encombré de livres jusqu'au ras du plafond, certains en pile dans les recoins, d'autres attachés en paquets par des ficelles. Le silence sentait le papier sec et l'insecticide. Sur le comptoir on avait aménagé un espace libre d'un mètre à peine entre des boîtes contenant des papillons précieux, des albums de gravures, d'épais ouvrages aux reliures flamboyantes.

Comme personne ne venait s'occuper de moi, j'appelai en frappant dans mes mains et j'attendis en feuilletant un recueil d'estampes du Vésuve. J'examinais une planche inspirée d'une scène de vendanges sur le flanc du volcan — les belles vendangeuses, les cottes retroussées, portaient de grands chapeaux Marie-Antoinette à rubans flottants — lorsqu'une voix, doucement, demanda :

« Que désirez-vous, monsieur ? »

C'était Silvia.

Je ne l'avais pas entendue approcher. Je me souviens qu'elle portait une robe de laine bleue serrée à la taille par une ceinture à boucle dorée et qu'il y avait entre elle et moi cette image sur la table, de soleil, d'abondance et de travail heureux. Je me souviens que je dis en français que je venais de la part du lieutenant Cohen retirer des billets pour le concert de San Carlo et que j'avais parlé à voix basse, sans croire à mes paroles.

La jeune fille se mit alors à chercher dans un classeur et déjà chaque trait, chaque détail de cette créature harmonieuse répondait à ma passion secrète, exaltait le désir qui me tourmentait depuis que j'étais revenu à la vie dans ma cellule d'hôpital. Tout mon être s'ouvrait, l'acceptait d'avance, la recevait comme la réponse vivante, unique, indéniable à un tenace espoir. Avec ravissement, j'observai ses yeux longs et noirs sous l'arc des sourcils, le front blanc et lisse mordu par une mèche de cheveux, le nez mince aux narines légèrement dilatées, la bouche charnue, naïve et tendre, le fin duvet sur la lèvre supérieure, le cou gracieux, la gorge petite et ronde sous le corsage qui découvrait un triangle étroit de peau rose, attirante...

Elle avait une expression grave et qui se transforma lorsqu'elle découvrit l'avidité de mon regard. Tout en écartant des papiers sous ses doigts agiles, la jeune fille prit soudain un air de méfiance et parut se concentrer davantage sur sa recherche.

Sans cesser de la regarder, je m'accoudai au

comptoir, soucieux de marquer que je ne m'impatientais pas, qu'elle pouvait prendre tout son temps pour trouver ces fameux billets, et c'est elle qui s'énervait, faisait « ah », en secouant la tête, les yeux clignés à force d'attention, mais je savais qu'un courant déjà naissait entre nous, que des ondes brûlantes nous rapprochaient dans le silence inquiet, le scintillement des riches reliures. Je comprenais surtout que mon destin se jouait définitivement dans ces minutes, et cette pensée me séchait la bouche, me paralysait. Consciente de mon trouble, la jeune fille me tendit à la fin les billets en me jetant un bref coup d'œil. Elle paraissait calme, fière, et attendait mon départ, les lèvres serrées, en évitant de me regarder. Mais je ne pouvais repartir ainsi et je feignis de m'intéresser à l'une des estampes du Vésuve. Penché sur l'album, les mains frémissantes, je tournais à l'intérieur de moi-même, comme à l'intérieur d'une prison, convaincu jusqu'au désespoir de ne pouvoir communiquer avec cette merveilleuse inconnue, de rester séparé d'elle par une épaisse muraille. Et j'étais si près d'elle cependant que je sentais son délicat parfum, une odeur de fleur, une odeur pure, simple, accordée à ce regard droit et clair.

Mais des soldats canadiens entrèrent et la jeune fille alla vers eux, et je restai isolé, captivé en apparence par les gravures, attentif en réalité aux gestes, à la voix de Silvia. Un pan de lumière gelée restait pris à un angle de la vitrine derrière laquelle des passants défilaient hâtivement. Les Canadiens, deux grands garçons blonds, choisissaient des camées. J'observai à la dérobée le groupe qu'ils formaient avec Silvia et il me sembla que mes pensées se lisaient sur mon visage, qu'on pouvait les lire inscrites sur mes lèvres, sur mes joues, sur mon front, violentes et impudiques, et je baissai la tête...

Enfin, libérée, Silvia revint près de moi et aussitôt je lui posai quelques questions au sujet des estampes, avec une fausse conviction qu'elle devait percevoir, et je l'entendis me dire, étonnée et amusée :

« Mais vous parlez admirablement l'italien !

— Je l'ai appris en Algérie avec des réfugiés.

— Parce que vous êtes Algérien ?

— Au point de n'avoir pas mis encore les pieds en France.

— Comme c'est curieux », dit-elle.

Et elle m'interrogea sur l'Algérie de ce ton net et franc qui ne marquait aucune arrière-pensée alors que je tentais de charger chacune de mes réponses d'intentions bizarres et vagues. J'avais néanmoins la certitude que ce dialogue, banal en soi, tissait mille liens ténus entre Silvia et moi et je m'efforçais de le maintenir, de le prolonger. Ma langue s'était subitement déliée. Je devenais éloquent. Je commençais à parler de moi avec complaisance et facilité, dans la hâte et l'espoir de rendre sympathique mon personnage, certain qu'il ne pouvait s'agir que d'une esquisse dérisoire, peu convaincante, un crayonnage maladroit, et qui étais-je ? qui étais-je ? Un soldat anonyme parmi des milliers d'autres qui avaient envahi cette ville, un inconnu, un étranger ! Tout en parlant, j'avais l'impression de découvrir dans les beaux yeux noirs de la jeune fille une nuance d'ironie et je me tus brusquement parce qu'il importait peu, en effet, qu'elle sût par exemple que j'avais dû abandonner mes études de droit pour rejoindre le Sud tunisien à l'époque de l'offensive italienne. Et ce silence que je laissai s'installer entre nous me fit peur. Ce n'était pas ces propos absurdes que j'aurais dû lui tenir, mais lui révéler ce que sa seule présence créait en moi, ou lui parler du front où j'allais retourner, dans la neige et le fracas des canons, alors que j'étais si bien près d'elle, apaisé, le cœur épanoui comme une rose au soleil. C'est de tout cela que je devais lui parler, de cette transformation qu'elle opérait en moi, douce et consolante, et je regardai les papillons dans leurs boîtes vitrées, l'œil capté par ces gouttes de lumière sur leurs larges ailes bleues...

« Vous vous êtes donc battu contre les Italiens ? dit Silvia d'un ton de malice légère.

— Non, dis-je. Les événements sont allés trop vite.

— Vous le regrettez, peut-être... »

Je protestai avec chaleur. Le peuple italien aimait la France. Il avait été victime aussi en cette affaire, et sur ce thème nous échangeâmes quelques répliques.

Il n'y avait plus d'indifférence dans son regard, ni méfiance, ni raillerie, seulement une sympathie souriante et gaie. Et elle répéta soudain :

« Vraiment, comme vous parlez l'italien ! »

Elle savait le français, ou plutôt : assez bien (la rectification venait d'elle), mais n'osait pas engager une conversation par crainte du ridicule et je l'encourageai, et dans ce qui devint un jeu gracieux et léger, il lui arriva de rire et j'aimai ce rire qui découvrait ses dents en éclair éblouissant et mettait des paillettes dans ses yeux.

Puis deux G.I's entrèrent qui désiraient des cartes postales. Le plus petit, râblé, costaud, la figure marquée de taches de rousseur, regarda Silvia, siffla admirativement et lui proposa en mauvais italien de dîner avec lui, n'importe où, le soir même. Elle refusa d'un signe de tête, en souriant avec indulgence, sans montrer ni impatience ni mécontentement, avec une assurance tranquille. Le G.I. m'aperçut, crut comprendre que Silvia et moi étions liés et n'insista plus. Il rit, bon type, en faisant monter et descendre comiquement ses sourcils pour me signifier que j'avais de la chance et qu'il m'enviait.

Dès qu'ils furent sortis, Silvia me dit :

« S'il fallait accepter toutes les invitations... »

Elle revenait vers moi, près de la table, de sa démarche nonchalante, dans le lent balancement de sa jupe.

« Dommage, dis-je. J'allais précisément vous proposer de m'accompagner au San Carlo. »

Elle hocha la tête moqueusement. J'étais sans doute comme tous les autres, en quête d'aventure...

« Et le lieutenant Cohen, dit-elle. L'autre place n'est-elle pas pour lui ?

— Il est indisponible. Couché. Une blessure à peine guérie, qui le tracasse encore. Non, non, il ne peut venir...

— Vous aussi vous êtes blessé ? demanda-t-elle, et d'un geste court de la main elle désigna ma hanche que machinalement je massais du poing par-dessus l'étoffe de mon manteau militaire.

— Ce n'est rien, dis-je. Moins grave que pour mon ami Cohen. »

Il me répugnait de me rendre intéressant en parlant de ma blessure qui, au demeurant, n'avait rien d'héroïque, je veux dire : rien de comparable à celle de Joe Cohen, reçue en plein champ de bataille, au cours d'un véritable assaut. Pour moi, en revenant d'une mission de liaison, j'avais rencontré trois chars américains qui montaient en ligne, brassant la boue sous leurs chenilles, la faisant gicler jusque sur leurs étoiles blanches. Le grondement de leurs moteurs brisait l'air glacé comme un cristal fragile. Emmitouflé dans une couverture, je fumais à côté du conducteur, un jeune Kabyle aux yeux de loup. Pour céder le passage aux mastodontes — leur antenne de T.S.F. balancée contre le ciel gris comme un dard venimeux — la jeep dégagea sur la droite, prit à travers une lande trouée de quelques entonnoirs de bombes. L'explosion de la mine broya les jambes du conducteur, qui mit longtemps à mourir. Je fus de mon côté projeté indemne hors du véhicule pour aller m'empaler sur un pieu de fer qui supportait des barbelés. Seul souvenir précis de l'accident — car tout ce qui précède me fut rapporté : l'image de l'officier commandant l'un des chars, avec son serre-tête de cuir, ses grosses lunettes remontées sur le front, penché sur moi comme l'ange même de la mort.

Peut-être Silvia devina-t-elle à mon silence que j'étais enfoncé dans un mauvais souvenir, car elle me regarda pensivement.

« Eh bien, mademoiselle, dis-je, en français cette fois, quelle est votre réponse ?

— Je suis tentée d'accepter. C'est un beau concert, mais je dois attendre le retour de M. Varella. »

Elle m'expliqua — toujours en français et avec un accent chantant — qu'elle n'était pas habituellement employée au magasin, qu'elle s'occupait d'un atelier d'art installé à l'étage. Elle remplaçait M. Varella et la vendeuse partis pour l'ancienne librairie, dans un immeuble sinistré qu'il avait fallu entièrement évacuer. Ceci m'expliquait ce désordre un peu insolite, désordre qui provenait d'une installation récente et hâtive.

« Même si vous devez arriver en retard, dis-je, soulevé d'espoir, je patienterai à l'entrée. »

Elle réfléchissait, et moi j'attendais sa décision avec impatience. L'univers entier, avec ses mondes et ses milliards d'étoiles, était ramené aux proportions de ce local, limité à ses rayons compacts de livres et d'albums tandis que, le souffle retenu, je guettais les mots que je souhaitais, certain qu'il valait la peine de mourir pour les entendre ! Et cette tension de tout mon être était si forte que je ne pus me retenir de murmurer d'un ton bas et suppliant :

« Oh ! venez, je vous en prie, venez... »

Alors elle m'examina comme un être nouveau, reprise par une défiance confuse, et je voyais dans ses yeux son âme s'enfuir par petits bonds effarouchés, tandis qu'un désir me prenait d'attirer contre moi ce jeune corps, de l'entraîner dans une lourde vague ensoleillée ! Je me détournai légèrement pour cacher cette tentation, dissimuler cette passion qui avait dû vider de sang mon visage et je me penchai de nouveau sur les grands papillons bleu et violet, ponctués de noir, lourds d'une sorte de mystère nocturne.

« Le programme est intéressant, bien sûr... »

Elle avait pris sous le comptoir un tract publicitaire, orné d'une sirène jouant de la lyre, et elle lisait d'un air rêveur.

« Je vois qu'il y aura la sonate en sol mineur d'Albinoni et le concerto en ré majeur de Vivaldi... »

J'ignorais tout de ces deux pièces, mais qu'importait, grand Dieu ? qu'importait ? J'étais d'avance convaincu de leur attrait et je le dis en maîtrisant ma voix, et Silvia répliqua :

« Mais savez-vous que Bach s'est souvent inspiré des compositions d'Albinoni ? »

Raison de plus pour courir à une manifestation de si bon goût, mais elle hésitait encore et sans doute voulait-elle marquer que si elle consentait enfin à m'accompagner ce serait pour le seul intérêt du concert. Alors je la pressai :

« Venez donc aussitôt que vous le pourrez. Je serai sous les arcades... »

Lorsqu'elle eut accepté, je restai comme étourdi de ma victoire. J'abaissai mon regard sur les mains de la jeune fille et j'eus envie de les prendre dans les miennes, d'en baiser les doigts un à un. Mais je me contentai de répéter :

« Eh bien, à tout à l'heure, à tout à l'heure... Je serai sous les arcades.

— A tout à l'heure », dit-elle.

Et je devinai qu'elle me suivait des yeux tandis que je repartais, que je sortais, en traînant un peu la jambe pour ne pas peser sur ma hanche endolorie.

Je disposais d'environ deux heures avant mon rendez-vous avec Silvia, deux heures que je ne savais comment employer, et je me demandais comment les « épuiser ». J'allai à la Grande Poste, place Matteotti. Dans le hall, je vis l'énorme crevasse provoquée dans le plancher par l'explosion, à l'heure de la plus grande affluence, d'une bombe à retardement disposée par les Allemands, avant d'évacuer Naples, bombe qui avait causé plus d'une centaine de victimes. Je contournai le trou entouré d'une balustrade de fortune pour m'installer à un pupitre. J'écrivis à ma mère une lettre où je lui rapportais les menus événements d'une vie fictive à Naples, car je lui avais laissé ignorer que j'étais sur le front et elle me croyait affecté à un service de l'arrière. C'était une femme vulnérable qui se torturait elle-même par des excès d'imagination. J'avais renoncé à passer près d'elle, à Alger, ma permission de convalescence pour ne pas qu'elle sût mon accident et qu'elle gâchât ces précieuses semaines par ses larmes, ses prières et ses exhortations.

De plus — et c'était peut-être la raison majeure de ma décision — elle avait épousé neuf ans plus tôt, après un long veuvage (j'avais à peine connu mon père, mort quand j'étais tout enfant), un haut fonctionnaire du Gouvernement général d'Algérie, un homme autoritaire, suffisant, pointilleux. Les trois années que j'avais dû passer avec lui dans sa villa mauresque, sur les hauteurs d'Alger, me l'avaient fait prendre en haine. (Mon unique sœur, mon aînée de cinq ans, avait eu plus de chance. Elle s'était mariée à un jeune ingénieur qui l'avait emmenée au Chili où il construisait des viaducs.)

Et puis, Alger en ce temps-là était une ville déprimante, pleine de regards cyniques, de sourires hypocrites, une ville livrée aux intrigants et aux profiteurs. Je lui avais préféré Naples et je m'en félicitais ce soir, après ma rencontre avec Silvia. Et les Napolitains dont je suivais docilement la file sur le trottoir de gauche (« *pedoni a sinistra* », conseillaient des écriteaux à chaque carrefour) m'approuvaient, me frôlaient amicalement, me caressaient de leurs yeux veloutés, m'acceptaient pour un des leurs. Comme eux je me détournais du passé, je me désintéressais désormais de l'avenir pour participer de tout mon être à cette fête réelle qu'était le présent, opéra fabuleux avec de vrais morts, de vrais désespoirs, des anges cruels à bord d'avions porteurs de foudre, avec ses heures de faim mais aussi et surtout ses ballets amoureux, ses intrigues passionnées ou tendres...

Non loin du « Foyer du Soldat », installé dans une ancienne brasserie, en face de la Galleria Umberto Primo, je croisai une voiturette ornée de guirlandes de citrons et d'oranges. La marchande avait des bras dodus, des cheveux noirs où luisaient de jolis peignes roses, verts, jaunes, et manipulait des petits pressoirs nickelés, tout étincelants qui, dans la ruelle sombre, mettaient une note d'allégresse. J'offris à boire à une horde de gamins qui m'avaient entouré et je riais en voyant le jus couler aux coins de leurs lèvres. Après s'être régalés, ils me félicitèrent, voulurent me soutirer des plaques de chewing-gum, me proposèrent de me conduire dans une maison de délices, réservée aux seuls individus qui avaient une tête comme la mienne, une tête sympathique — *vero, tenente, venite con me !* — mais je leur échappai, me réfugiai dans un petit café de la Galleria, à l'une des quatre sorties, celle qui donnait sur la via Vittorio Emmanuele III, près du théâtre San Carlo. Par les verrières crevées descendait la terne lumière d'un crépuscule d'hiver.

Je m'assis sur un confortable fauteuil de rotin, les jambes allongées sur une chaise, décidé à ne plus rien tenter jusqu'à l'heure de Silvia, et je lus le journal du Corps expéditionnaire français *Patrie*. Un article parlait de la liberté de l'Europe. Puis, pour ruser avec le temps, pour accélérer sa trop lente coulée, j'essayai de m'assoupir. Entre mes cils mi-clos, je regardais passer des Marocains, des Antillais, des Indous, des Sénégalais, et je me demandais ce que pouvait signifier « la liberté de l'Europe » pour des soldats coloniaux à qui l'Europe avait ôté toute liberté.

Je somnolais, le journal déployé sur le visage, et j'entendais autour de moi des voix napolitaines, sonores et chantantes : « *Prego, signor ! Arrivederci, signor !* » et je me souvenais de ce petit village de montagne, avec sa place triangulaire et les cadavres des nègres américains et des paysans attachés au tronc clair des peupliers. Tous les corps — onze au total — avaient les genoux fléchis et penchaient en avant ou sur le côté, dans une attitude d'infini accablement, et des mouches grouillaient autour de leurs yeux, comme autour d'énormes grains de raisin flétris. Les M.P. avaient fusillé sur-le-champ des soldats de couleur surpris à vendre de la farine volée au chargement qu'ils conduisaient vers les lignes. Ils avaient, de même, exécuté cinq villageois qui, à chaque convoi de ravitaillement, sollicitaient les équipages.

Assis à l'arrière de la jeep, je regardais le village qui sentait la peur, la faim, la détresse. Personne ne se montrait. Les morts étaient bien seuls. Au-dessus d'eux, accrochés aux lampadaires, flottaient les petits drapeaux qui avaient fêté la libération, des drapeaux vert-blanc-rouge et des drapeaux étoilés que le vent agitait tristement.

« *Prego, cavaliere ! Arrivederci !*

— *Scusi, per favore !...* »

Je me souvenais de cette soirée en avant de Venafro au retour d'une autre mission de liaison auprès d'un poste anglais de commandement. Sous les oliviers, au pied de la colline, des chars allongeaient leurs canons entre les branches et un air de cornemuse, aigre et mélancolique, tournoyait avec les lentes fumées...

La jeep patinait dans la boue et la nuit venait et lorsque la pluie se mit à tomber, lourde et rageuse, le conducteur, celui-là même qui devait mourir quelques jours plus tard, les jambes déchiquetées, proposa d'attendre une accalmie dans un baraquement tout proche. C'était le baraquement de fossoyeurs italiens, des hommes âgés, le visage craquelé, envahi de barbe. Assis sur des cercueils, ils achevaient de dîner. Leur table aussi était faite de deux cercueils superposés dans lesquels ils dormaient également, avec pour couvertures les lourdes tentures noires des cérémonies funèbres, ornées de larmes et d'étoiles d'argent que la lampe à acétylène, pendue à une poutre du toit, faisait scintiller comme des yeux de chat.

Dans un angle étaient rangés les outils de travail et des plaques de terre rouge adhéraient au fer des pioches et des pelles. A côté, des croix de bois blanc et des planches taillées en forme de croissant ou d'étoiles à six branches. La lampe sifflait et le froid pénétrait par tous les interstices de la baraque. La mort était présente ici, non dans sa pompe écrasante des grandes cérémonies, mais dans sa représentation la plus simple, qui la rendait familière et rassurante. Las et ensommeillés, les cinq fossoyeurs nous avaient accueillis avec cordialité, nous avaient offert de partager leur repos. Ils souriaient, humbles et doux, passaient leurs grosses mains poilues sur leurs crânes ronds de paysans. J'acceptais un verre de vin, puis sortis un instant.

Je m'enfonçai dans les ténèbres secouées de vent, fouettées de pluie glacée en me dirigeant à la lumière de ma lampe électrique. A quelques mètres — tandis que j'urinais — je distinguais une masse cubique qui devait être une réserve de planches. Cette masse éveilla en moi un malaise. Tout en refermant mon manteau je m'en approchai. C'étaient des soldats en uniforme de l'armée anglaise, tout raides, rangés comme des troncs d'arbres, dix couchés dans un sens, dix en travers pour former ainsi, méthodiquement, une pile haute de plus de deux mètres. Prise dans la lumière bleue de ma lampe, je vis la tête renversée d'un très jeune homme, la bouche grande ouverte, une bouche que la pluie avait remplie et qui débordait en filets rapides. Des gouttes d'eau luisaient sur les paupières closes, étrangement gonflées.

Je retournai dans la baraque et les fossoyeurs me regardèrent avec une surprise mêlée d'un vague effroi.

« Pourquoi, dis-je d'un ton bas et irrité, n'avez-vous pas mis ces corps à l'abri ? Pourquoi ne les avez-vous pas rangés de façon décente ? »

J'étais pénétré jusqu'aux os d'une sensation d'horreur comme si j'avais moi-même participé à un sacrilège monstrueux.

« La place manque ici, dit avec douceur le plus âgé. Voyez... »

C'était l'évidence. Ils n'allaient pas passer la nuit dehors pour mettre au sec des cadavres à qui plus rien n'importait. Tout secoué d'indignation, j'ajoutai :

« Il y a le respect ! »

Les paysans comprenaient bien ce que je voulais dire, mais l'un d'entre eux répliqua :

« Le respect, il faudrait d'abord en avoir pour les vivants. »

Il se tenait juste sous ma lampe dont la lumière tombant verticalement sur lui accentuait toutes ses rides, lui creusait de larges poches d'ombre sous les sourcils et la bouche. Il n'avait mis aucune intention désobligeante dans ses paroles. Ses petits yeux de rongeur clignotaient et donnaient à son regard une timidité effarouchée. Je me tournai rapidement vers le chef pour lui ordonner de recouvrir au moins d'une bâche le sinistre édifice.

« Comme vous voudrez, monsieur l'officier... »

Mais il semblait céder au caprice d'un enfant sans réflexion, d'un enfant despotique qui ne savait rien, au fond, de la mort et de la vie.

Dans la Galleria, la foule devenait plus dense et le crépuscule teignait le ciel d'une délicate couleur violette. La brise taquinait mon journal plié sur le guéridon et un coin de feuille palpitait, comme une aile de mouette. « Oh ! Silvia, Silvia, le vieux avait raison ! Personne n'a pitié des hommes en ce monde ! Et la vie m'échappe comme un poids trop lourd ! » Je tendais ma pensée vers Silvia pour me retenir au bord d'un désespoir brumeux. Et je me souvenais de l'enfant que j'avais été et qui allait se baigner nu à la pointe du môle et contemplait longtemps cet horizon qui lui semblait alors gonflé de promesses et de secrets...

« Grazie mile, signor ! Grazie tante... »

J'avais laissé un pourboire royal au serveur, mais comme un don propitiatoire, pour que Silvia tînt parole et me rejoignît vraiment. Je me répétai les phrases que nous avions échangées dans la librairie, les tournais et les retournais dans mon esprit, pour essayer de dissiper une certaine anxiété. Posté devant le San Carlo sous l'affiche verte et blanche qui annonçait *Aïda, di Giuseppe Verdi,* je regardais défiler les Napolitains endimanchés, les Wacs blondes et rieuses qui rougissaient aux plaisanteries des soldats, appuyés aux piliers des arcades. Des M.P. anglais à képis rouges, la visière sur les yeux, déambulaient d'un lent pas de parade. Et soudain, ah ! ce coup au cœur, je découvris Silvia dans la foule, Silvia qui se dégageait, avançait vers moi, svelte, légère sur ses hauts talons, une écharpe gracieusement jetée sur les épaules, ses beaux cheveux sombres écartés par le vent...

Que vous dirai-je ensuite ? Lorsque le concert commença, je restai prodigieusement attentif non à la musique mais à moi-même, épiant ce bonheur qui m'éclairait l'âme et parfois je me tournais vers Silvia et elle me rendait mon regard en souriant furtivement. Sans doute croyait-elle que nous partagions le même plaisir artistique, la même admiration, alors que le chant de Mozart me traversait sans m'atteindre. Je ne voyais plus l'orchestre sur la scène, dans une poussière d'or, ni le public qui m'entourait, les yeux dilatés dans la pénombre.

J'avais eu des maîtresses, j'avais désiré plusieurs femmes, et jamais, près d'elles, je n'avais éprouvé comme en ce moment, aux côtés de Silvia, cette émotion, ce trouble, ce sentiment que le monde était définitivement délivré du désespoir, de la douleur, de la perfidie, de la cruauté. Je n'avais plus peur, et quelque chose en moi brillait comme cette lumière dorée qui baignait les musiciens, faisait scintiller leurs instruments, et du coin de l'œil j'observais la jeune fille, ses longs cils, la ligne ingénue de ses lèvres, son front pâle, et j'avais envie de prendre sa main qui pendait sur l'accoudoir, et je n'osais pas, freiné par une timidité inhabituelle, et il m'arriva de murmurer « *Oh ! Silvia, sei bella, sei bella* », comme une plainte qui se mêlait au chant glorieux des hautbois, des violoncelles et des violons.

[illegible]
et, à peine arrivée de [illegible]
prise et retenue à Naples [illegible]
allie de Salerne, la retraite [illegible]
d'arrêt devant Cassino.
Je me souvenais de sa demande [illegible] tranquille à mon côté, je me souvenais [illegible]
rond sous l'écharpe, et de la [illegible]
dont elle [illegible] mes propos [illegible]
[illegible]

Le lendemain, au réveil, cette douceur, cette langueur que je ressentais me rappelèrent la soirée du San Carlo. Après le concert, j'avais raccompagné Silvia chez elle et nous nous étions séparés devant sa maison, non sans qu'elle eût promis de me revoir, de visiter avec moi Pompéi le dimanche suivant. Elle habitait, près de l'Université, un de ces grands immeubles fin de siècle, à la façade surchargée de moulures et d'ornements baroques rongés par les intempéries. Elle vivait chez son oncle Emmanuele Massini, qui était conservateur aux Archives. Il l'avait fait venir pour assister la tante malade et, à peine arrivée de Milan, Silvia avait été surprise et retenue à Naples par le débarquement allié de Salerne, la retraite allemande et le coup d'arrêt devant Cassino.

Je me souvenais de sa démarche aisée et tranquille à mon côté. Je me souvenais de son buste rond sous l'écharpe, et de la manière distante dont elle écoutait mes propos passionnés.

Nous avions pris le Corso Umberto, et les lumières avares qui filtraient des devantures camouflées selon les consignes de la Défense passive me révélaient parfois son sourire indifférent.

Au moment de la quitter devant la grande porte aux heurtoirs de cuivre, je tentai une dernière fois d'animer cette belle statue qui restait immobile, dans une attitude fermée, insensible à la chaleur de ma voix. Je voulus retenir sa main, mais elle me la retira d'un mouvement souple, en inclinant gracieusement la tête sur l'épaule comme pour s'excuser. Elle dit qu'elle était lasse, qu'il était temps pour elle de rentrer et elle poussa l'énorme battant sur le gouffre noir du corridor. Quand elle eut disparu sur un sourire finement malicieux — *grazie per tutto, a dopo domani, piacere...* — je m'attardai un moment devant l'immeuble, et je me sentais tout émerveillé, capable de sacrifice, d'actions admirables, et puis je repartis à pas lents sur les grandes dalles qui pavaient la rue, toutes brillantes d'humidité, tandis que des voitures militaires aux phares maquillés de bleu me frôlaient, chargées de soldats silencieux, le casque entouré d'un filet, le col de la capote frileusement relevé.

D'un coup de rein, je sautai hors du lit et comme la chambre n'était pas chauffée, le froid me pénétra. Pieds nus et tout frissonnant, j'allai tirer les rideaux et regardai le ciel gris.

Et j'avais en moi l'image de Silvia et je croyais entendre le claquement de ses talons par les ruelles sonores, je la voyais serrant son écharpe sur la poitrine comme si elle craignait que je lui découvre les seins et m'observant de ses beaux yeux sombres. Il me semblait que j'avais retenu la chaleur de sa main dans la mienne et j'en passai la paume sur mes lèvres, sur mon cou, en un geste de ferveur, de voluptueuse nostalgie ! Sur la fenêtre, les géraniums de Mme Ruggieri s'ouvraient en étoiles de sang. Peut-être aurais-je dû prendre Silvia dans mes bras, la serrer contre moi, l'obliger à entendre cette passion qui me brûlait. La peur de détruire ou de compromettre ce fragile équilibre que j'avais pu créer entre nous durant ces quelques heures m'avait enlevé toute audace. Il fallait attendre, patienter. Ah ! je ne savais rien d'elle ! Et peut-être était-elle fiancée ! Ou qui sait si elle n'avait pas un amant qui se désespérait à Milan, torturé par la séparation, affolé par son silence ! Mais c'est moi que cette idée affolait ! Non, non ! Je devais me persuader que Silvia n'avait aucune attache amoureuse, qu'elle était sans liens, sans passé, née par miracle le jour même de notre rencontre ! Qu'elle était pure et inaccessible comme cette neige orgueilleusement intacte au flanc des montagnes qui dominaient nos lignes, que je contemplais souvent au sommet des pics, dressés très haut, solitaires dans le ciel glacé.

Je me rendis à la salle de bain. Elle était occupée par un des locataires de Mme Ruggieri, un aviateur américain. Je m'excusai.

« Mais non, dit-il, j'ai fini. »

Il se présenta :

« Hamlet. Comme le vrai. »

Le sourire mettait en valeur une dentition parfaite.

« Longereau », dis-je en défaisant la serviette que j'avais nouée autour de mon cou.

L'aviateur venait de Pomigliano. Il était pilote dans un groupe de reconnaissance équipé de Lightnings P 38, ces appareils à double fuselage que nous appelions des « biqueues ». Comme tous les fantassins, j'avais une prévention à l'égard des aviateurs. A nos yeux, ils passaient pour jouer trop complaisamment les « chevaliers de l'air ». Surtout, nous leur reprochions ces cantonnements « douillets » qu'ils retrouvaient au retour de chaque mission alors que, jour et nuit, nous devions nous accommoder de nos tanières, sous la neige, avec, comme disait Joe, « accompagnement varié d'artillerie ». Tout en rangeant ses objets de toilette, Hamlet me raconta qu'il avait, l'avant-veille, survolé la vallée du Rhône. Il parlait en français avec un accent convenable. Il dit qu'il connaissait la France par les livres, c'est-à-dire « par l'esprit » et qu'il l'avait découverte enfin, mais de trois mille mètres d'altitude, et qu'on l'y avait reçu en ennemi. Il évoqua des terres dorées par le soleil d'hiver, ces terres chargées de messages, mais interdites pour lui. Je lui révélai que moi aussi je venais en Europe pour la première fois et, comme Silvia, il parut surpris. A chacun de ses mouvements ses muscles roulaient sous le tricot de laine.

« Ah ! l'Europe, murmura-t-il. Piero della Francesca, Baudelaire, Gœthe, Tolstoï...

— Et Hitler, Franco, Mussolini ! » dit Joe joyeusement en surgissant sur le seuil, le calot rejeté sur la nuque. Il arrivait tout droit de Capri.

« L'Europe-Janus, ajouta-t-il. D'un côté le pur visage de la Joconde. De l'autre celui de Himmler. Alors que l'Amérique, elle, n'a que le visage loyal, ingénu et cent pour cent hollywoodien de Tarzan ! Mais quel repos ! quelle paix ! »

Et, la tête renversée, il poussa un long cri en se frappant la poitrine des deux mains comme le héros de la forêt. L'aviateur sourit avec tristesse et Joe s'écarta pour le laisser sortir.

« Tu n'aurais pas dû le mettre en boîte, Joe !

— Qui est-ce ?

— Hamlet.

— Ah ! diable !

— Raconte-moi tout, Joe ! dis-je en ôtant mon pyjama pour me glisser dans la baignoire, non sans difficulté.

— Serge ! Cette fille faisait l'amour comme Vénus elle-même. Ceci pour rester dans la note mythologique... »

Tout en parlant, il m'aidait à entrer dans l'eau.

« Elle aura une nouvelle permission dans cinq jours. C'est le délai qu'il me faut pour recouvrer des forces. »

Tandis que je barbotais en soufflant, il s'installa devant le lavabo pour se raser. A ce moment, un nègre nu jusqu'à la ceinture poussa la porte, grogna quelques mots d'anglais.

« *Othello, I presume ?* » dit Joe en se retournant à demi.

Le nègre secoua la tête et repartit, accablé.

« Et ta soirée ? dit Joe d'une voix forte pour dominer le grondement des robinets grands ouverts.

— Concert au San Carlo !

— Seul ?

— Non !

— Jolie ?

— Adorable !

— Et compréhensive ? »

Je ne répondis pas et il se mit à fouiller dans ma trousse de toilette. Il avait enlevé sa chemise et pour être encore plus à l'aise il défit aussi le petit bouclier de cuir qui lui protégeait le côté gauche et sa cicatrice apparut. Je la voyais reflétée dans la glace du lavabo, une cicatrice en étoile irrégulière, à cinq branches précises, d'un rose violacé, comme la trace d'une patte monstrueuse, comme si la patte griffue de la mort l'avait brutalement saisi à la poitrine pour — au dernier instant — renoncer à déchirer ce cœur intrépide.

« Hé, dit Joe. Tu as bien tenté ta chance, j'espère ! »

Il se savonnait la barbe et ne devinait pas mon embarras. Je dis d'un ton évasif :

« N'étais pas en forme !

— Allons donc ! Dans ce cas, tu n'avais qu'à lui montrer la photo de ta mère !

— Il ne s'agissait pas d'une midinette.

— N'importe ! Ta mère pleure jour et nuit des larmes de sang et depuis ton départ pour la guerre, elle a maigri de trente kilos !

— Trente ?

— Transigeons à quinze ! Mais il existe des filles coriaces qui ne s'émeuvent qu'à l'idée d'une mère réduite à l'état squelettique par l'anxiété et le désespoir !

— Laissons ma mère, Joe !

— Alors tu n'avais qu'à lui raconter comment la veille de ton départ pour l'Italie, tu as lâchement été abandonné par la femme que tu adorais, à qui tu avais tout sacrifié ! Ecoute, Serge, aucune Napolitaine ne résiste à une histoire de ce genre. Elle tombe dans tes bras et t'appelle « *caro mio* ». Le reste suit.

— Ce n'est pas une Napolitaine !

— Dis toujours.

— Milanaise.

— Ecoute, Serge. Je crois comprendre que tu es tombé sur l'unique femme de Naples qui ne fasse pas l'amour. Ne perds pas ton temps avec elle.

— Je la revois demain. Nous allons à Pompéi... »

Je fermai le robinet d'eau chaude et dans le silence qui s'installa, des vapeurs paresseuses montèrent vers le plafond, voilèrent la fresque érotique. Joe s'était tourné vers moi, le visage barbouillé de savon, et un effet de lumière donnait à sa cicatrice une teinte pourpre. Il m'observait avec une inquiétude affectée :

« Serge, dit-il, des semaines passées là-haut, aggravées par un long séjour à l'hôpital, n'arrangent pas les nerfs. Au premier sourire de fille, on a la tête qui tourne. »

Au seul accent de mes répliques, il semblait avoir entrevu la vérité. Il ajouta :

« Tu devrais plutôt t'occuper des petites grues de la via Roma. »

Je secouai la tête, frappai, de ma main ouverte, la surface de l'eau dans ma baignoire pour éclabousser Joe qui recula, mais sans renoncer à me convaincre.

« Tu devrais, vieux. Elles sont douces comme des brebis et te donnent du plaisir par pitié, parce qu'elles savent qu'un peu plus tôt, un peu plus tard tu seras tué et que cette idée les excite. Dès que tu te couches sur elles, elles sentent ton odeur de mort et elles s'attendrissent et elles se déchaînent entre tes bras. J'en connais qui pleurent alors de vraies larmes tandis que tu t'efforces. »

Il acheva de se raser, s'essuya le visage, remit son bouclier de cuir, en noua les lanières avec les gestes précis de ces gangsters de cinéma ajustant leur baudrier sous le bras. Ensuite il revêtit sa chemise, alluma une cigarette et reprit, ses yeux gris traversés de flammes rapides :

« Ne crois pas tout ce qu'on raconte : les filles ont l'instinct des bêtes qu'un sens spécial avertit de l'approche pour les autres d'un danger. »

Il se peignait à présent par petits mouvements vifs sans cesser de parler :

« Et peut-être que tu aimes le genre vierge sage. Chacun de nous, c'est connu, porte en lui l'image d'une femme idéale. Dans ce cas, je te signale à l'entrée de San Francesco di Paola une dénommée Giulietta. Elle vient devant l'église toute vêtue de noir, sans le moindre soupçon de fard. Si tu l'abordes, elle joue la pudeur effarouchée. Ensuite, elle te confie qu'elle est venue prier et qu'elle porte le deuil de toute sa famille écrasée sous le dernier bombardement. Si elle-même a été épargnée, c'est que cette nuit-là elle était au chevet d'une vieille parente malade à l'autre extrémité de la ville. Elle n'a en rien l'aspect d'une professionnelle. Elle donne l'impression d'une honnête jeune personne accablée de désespoir et dont on peut mettre à profit la faiblesse passagère. Et son expression de décence et de tristesse lui valent un succès immense. Tous les permissionnaires se laissent prendre à sa pâleur, à sa voix timide, et cette comédie témoigne à mon avis d'une prodigieuse connaissance de la psychologie masculine. Va la rejoindre, vieux. Elle te guérira.

— Mais ton histoire est horrible, Joe !

— Peut-être. Note que personnellement je préfère le genre « tête de linotte » ou mieux, le genre « panthère insatiable » ! Si ces comparaisons zoologiques ne blessent pas ta sensibilité. Mais va voir Giulietta ! Tu guériras près d'elle de la solitude et du besoin de pureté qu'apporte la guerre. »

Il prit un temps et ajouta avec une feinte gravité :

« Bien entendu, ne dédaigne pas pour autant l'hygiène prophylactique. »

Je l'assurai en riant que je ne voulais pas guérir de cette manière et qu'il ferait mieux de me procurer, lui qui était homme de ressource, une voiture pour ma promenade avec Silvia le lendemain.

« Tu l'auras. »

Juste à ce moment, le nègre reparut.

« Pas vu Desdémone », dit Joe avec sérieux.

L'autre nous examina d'abord en silence et je distinguais dans ses yeux de nacre le reflet d'une irritation bouillonnante, puis il se mit à parler avec un débit si rapide que ses lèvres semblaient à peine bouger. Parfois, cependant, on apercevait sa langue rose. A la fin, il se retira en fermant furieusement la porte.

« Que se passe-t-il ?

— Il se plaint. Il dit qu'il n'a pas de chance. Il dit que tous les Français sont sales et que le fait est établi et vérifié par les statistiques. A son avis, si nous occupons si longtemps la salle de bain, c'est à des fins de propagande, mais qu'il est de Chicago et qu'avec lui ces ruses grossières ne prennent pas.

— Joe, tu aurais dû lui expliquer que nous sommes des Français de l'extérieur, sans traditions ni folklore. »

Avec le secours de Joe, je sortis de la baignoire, me séchai, enfilai mon pyjama et à mon tour me rasai en hâte. Appuyé au mur du fond, la cigarette au coin des lèvres, Joe me dit :

« Serge, pas de bêtises. Qui est cette fille ?

— Tu la connais. Du moins, tu l'as vue chez Varella, lorsque tu es allé retenir des places pour le concert. C'est elle qui t'a reçu. »

Je l'observais dans le miroir et je voyais bien qu'il ne se souvenait pas du visage de Silvia, qu'il l'avait à peine remarquée. J'en fus étonné tant il me semblait que le charme et la beauté de la jeune fille devaient éclater aux yeux du monde entier.

J'achevai ma toilette sans qu'il eût ajouté un mot. Il réfléchissait en caressant machinalement de sa main gauche le bouclier sous sa chemise. Au moment de nous séparer, cependant, il me retint par le bras :

« Ecoute, vieux », dit-il.

J'avais sur moi son regard clair, terriblement perspicace.

« Il existe des milliers de femmes. Es-tu de ceux qui n'attendent le bonheur que d'une seule d'entre elles ?

— Oui, dis-je en souriant, si celle-là, seule, répond à une certaine question qui m'obsède... »

Il hocha la tête. Lui aussi souriait. Je m'attendais à ce qu'il me demandât de quelle question il s'agissait mais il dit :

« Et tu es déjà sûr que cette jeune fille est la réponse ? »

Je me trouvais à présent dans le couloir, les pieds nus sur le carrelage glacé et faillis répondre :

« J'en ai été sûr dès le premier regard. »

Mais malgré mon affection pour Joe, malgré mon absolue confiance en lui et la connaissance que j'avais de sa délicatesse d'âme sous ses attitudes volontiers ironiques ou railleuses, une pudeur que peut-être je n'avais jamais ressentie jusque-là m'empêcha de dénuder davantage mes sentiments. Et je préférai en finir sur un geste vague, sans interprétation possible, un geste qui pouvait signifier mille choses et que Joe observa de son œil infaillible.

transportèrent comme des sacs pour les jeter dans un camion. L'ivrogne applaudit l'exploit avec un conviction un peu égarée. Exaspérés, encore chauds de leur bagarre, les policiers bondirent sur lui, le frappèrent sauvagement, le tirèrent à son tour par les bras, tandis qu'il poussait des cris rauques, et qu'une lueur rouge passait soudain dans ses yeux fous.

« Gorilles ! » cria Joe qui détestait les M.P. et dont toute la sympathie allait aux vaincus.

Nous repartîmes. Joe commentait passionnément la scène et je l'écoutais mal. Je pensais à Silvia, m'inquiétais du temps qu'il ferait le lendemain. J'avançais non sur la via Roma, dans la foule sombre et oppressante, mais sur une voie solitaire et tout étincelante le long de laquelle courait le sourire de Silvia, une voie qui devait conduire à quelque contrée secrète de la beauté, de la passion, de la tendresse. La vie ne pouvait être la traversée d'une lourde et continuelle épreuve ! Il devait exister un asile innocent contre la corruption du monde, contre ses violences, sa cruauté ! Et je pensais à la journée prochaine, à ce dimanche qui serait celui de la révélation ! Je pensais à Pompéi comme à quelque cité fabuleuse où je serais délivré de mes doutes, recréé, avec une âme neuve et sans ombres.

Par une porte basse, nous descendîmes dans le vaste sous-sol de la Galleria où l'on avait transporté, à l'abri des bombardements, l'imprimerie du quotidien *Il Mattino*. On tirait là plusieurs journaux italiens comme *Risorgimento* et ceux des corps expéditionnaires alliés : *Patrie, Stars and Stripes, Mapple Life, Union Jack*... Les linotypes baignaient dans une lumière crépusculaire mais par en dessous les petites lampes de leur clavier éclairaient le visage des ouvriers. Le ronflement soutenu des machines m'étourdit un peu. Je restai quelques secondes au pied de l'escalier à observer l'immense atelier, incapable de me diriger car j'avais perdu Joe. Mais il revint pour m'entraîner sous une voûte où travaillait Chanderli.

Celui-ci se tourna vers moi, cligna de l'œil d'un air complice, me serra la main. Visage japonais, l'œil étroit sous la paupière bombée, le nez court, la face ronde et plate. Tout à fait Kyo, le héros de *La Condition humaine*, du moins tel que je l'imaginais. Mais Chanderli était algérien, fils du Grand Muphti d'Alger et « koulougli », c'est-à-dire descendant des Turcs de la Régence. Il avait la peau blafarde, comme si toute sa vie il avait vécu dans une cave, ou dans ce même sous-sol, à la pâle lumière des ampoules nues et poussiéreuses. Aux deux ouvriers qui l'assistaient il donnait des ordres brefs, précis. On le devinait actif, compétent, l'esprit curieux et étrangement mobile. Journaliste professionnel « dans le civil ». Nous appartenions au même régiment et on l'avait retiré des premières lignes pour lui confier la responsabilité de cette tâche.

Il nous parla de la récente offensive des Néo-Zélandais sur Cassino, de leur bataille perdue. Ils venaient d'atteindre l'hôtel *Excelsior* et attendaient des renforts, couchés le long des trottoirs. Soudain, surgirent on ne sait d'où les petits tanks allemands, rapides et maniables, qui mitraillèrent à bout portant les assaillants. Tout cela fut dit d'un ton expéditif, comme pour cacher son émotion.

« Cassino ! s'exclama le vieux typographe qui se tenait de l'autre côté du marbre. La guerre ne se gagne pas avec des moteurs. Elle se gagne à la grenade et au poignard. »

La lumière faisait briller son crâne huilé, son gros nez aux narines dilatées.

« Pour prendre Cassino, ajouta-t-il, pas besoin de vos avions et de vos engins ! Il suffirait d'un seul bataillon de nos *Arditi !*

— Qu'est-ce donc que des *Arditi ?* demanda Joe.

— Des sortes d'Alpins, dit Chanderli. Avec des plumes. »

Le vieux nous observait d'un air belliqueux, épiait nos expressions, le typomètre à la main, tenu comme une baïonnette.

« Ne nous excitons pas », dit encore Chanderli. Il souriait, allumait une cigarette, et je voyais ses doigts tachés d'encre d'imprimerie.

« Et comment se passe cette permission ? me demanda-t-il en secouant l'allumette pour l'éteindre.

— Bien !

— Justement, dit Joe. Il lui faudrait ta Fiat pour demain.

— Pour aller à Pompéi, je parie !

— Gagné ! » dis-je.

Par moments, le cliquetis frénétique des linotypes paraissait davantage s'exaspérer. Des journalistes américains, en blouson kaki, passaient dans les rangées, en tenant leurs morasses comme le voile de sainte Véronique.

« Pour une promenade sentimentale, dit railleusement Chanderli, rien ne vaut Pompéi. »

Ce n'était qu'une formule banale, un peu

taquine, mais il me sembla que n'importe qui pouvait lire en moi, découvrir d'un seul coup d'œil mon merveilleux secret et cette impression me fut désagréable, me causa une vague irritation. Il faudrait dissimuler, me fermer davantage aux autres, et je répliquai :

« Sentimentale, n'exagérons rien... »

Il y avait quelque chose de faux dans le ton, une nuance de contrainte, de sournoise indifférence.

« D'accord, dit Chanderli, bonhomme. Pour quand te faut-il la voiture ?

— Demain, deux heures.

— Le chauffeur t'attendra devant le San Carlo.

— Je préférerais me passer de chauffeur. »

Cette fois, je n'avais pu masquer mon impatience. J'avais les nerfs trop tendus, avec la sensation que ni en ce moment, ni demain, ni jamais je ne saurais contrôler les événements qui me concernaient ; que quelque chose se déroberait toujours sous ma main à l'instant même de mon approche et j'en éprouvai une angoisse cruellement hérissée d'aiguilles.

« Pour voler les bagnoles, les Napolitains sont les rois », dit Chanderli tout en examinant un titre composé en caractères gras : « Marcel Cerdan vainqueur au premier round de Di Martino hier soir à Alger. »

« Je m'arrangerai, dis-je avec chaleur.

— Oui, oui », dit-il, et je lisais, figé dans une attente inquiète, les mots qu'il écrivait en sous-titre : « Marcel a mis K.-O. son adversaire... en moins de dix coups de poing. » A peine eut-il fini qu'il m'interrogea, sans se redresser, sans se tourner vers moi :

« Qui gardera l'auto pendant que tu prendras tes ébats dans les ruines ? »

Joe vint à mon secours :

« Il trouvera quelqu'un. Il doit peut-être exister un parking militaire dans les parages. »

Finalement, Chanderli céda, m'indiqua le numéro minéralogique de la Fiat, dit qu'elle serait rangée dimanche à l'heure voulue près de l'imprimerie.

LE dimanche, à deux heures, assis à la terrasse d'un café sous la Galleria, j'attendais Silvia. J'étais en avance. En levant les yeux, je voyais un ciel clair et frisé qui me réjouissait. C'est que la veille, la pluie était tombée furieusement et ma soirée avait été gâchée par la crainte que le mauvais temps ne persistât. Agréable soirée, cependant. J'avais accompagné Joe chez des amis à lui, des Américains, permissionnaires de la 5e Armée, et tous musiciens. Ils s'étaient procuré des instruments. Joe tenait le piano. Deux Noirs, deux clarinettistes, improvisaient à tour de rôle des airs déchirants, mais, personnellement, je m'intéressais surtout à l'une des trois jeunes Wacs que l'on avait invitées. Elle s'appelait Doris. Petite, mince, le nez retroussé, le regard bleu, la lèvre fraîche et ingénue, elle me déclara sans tergiverser que je lui plaisais et qu'elle aimerait beaucoup me revoir. Elle avait ouvert sa vareuse et je voyais sa gorge gonfler sa chemisette kaki. A minuit, j'étais allongé sur le divan, près d'elle, la tête sur sa cuisse dont je sentais sous ma nuque la chair ferme et élastique. Tout en écoutant une trompette pleurer

— certaines notes longuement soutenues avaient une merveilleuse puissance nostalgique — Doris me caressait le front d'une main légère. Parfois, ses doigts jouaient aussi autour de ma bouche, sur mes joues... Il y eut un instant où, dans cette attitude d'abandon, tous les miracles me parurent possibles. Peut-être la guerre venait-elle de s'arrêter à cette minute même, sur les dernières roulades, pathétiques et triomphantes, de la trompette ? Peut-être la mort n'était-elle pas la mort ? Peut-être les camarades tués allaient-ils nous revenir, encore tout engourdis, tout ensommeillés, d'une contrée mystérieuse dont ils ne voudraient pas parler ? La musique et l'alcool avaient allumé en moi un soleil qui réchauffait ou plutôt, qui purifiait les replis les plus souillés, les plus gâtés de mon être. Mais lorsque, brusquement, l'averse se mit à tomber, à fouetter les vitres, en ronflant comme un incendie, je me redressai d'un bond, devant les yeux effarés de Doris, pour écouter ce bruit avec passion, comme le galop noir du malheur.

Mais aujourd'hui il faisait beau, de longues lueurs blanches palpitaient dans le ciel et j'attendais Silvia, les coudes appuyés sur le guéridon, et je n'avais pas touché au verre de bière que j'avais commandé. Devant moi défilait la foule lente et jacassante des dimanches napolitains. Je fermais les yeux, je m'enfermais en moi-même pour m'abstraire de cette agitation, et, la tête dans les mains, j'étais là, à espérer Silvia, c'est-à-dire à espérer dans mon âme une certitude éblouissante qui me rassurât sur ma présence en ce monde.

Et elle vint, et en tournant les yeux, je la vis

paraître à l'entrée de la Galleria, du côté de la via Santa Brigida, vive et fendant les groupes avec décision et d'abord je ne bougeai pas, je ne me précipitai pas au-devant d'elle, je ne cédai pas à mon premier élan, je ne fis même pas un geste de la main pour signaler ma présence. Mon cœur avait accéléré son rythme et je l'entendais battre jusque dans ma gorge. Je me donnai le plaisir d'observer Silvia tandis qu'elle me cherchait, qu'elle était préoccupée de moi, que j'étais vraiment dans sa pensée. Elle passait à présent entre les tables et des soldats alliés lui souriaient, lui murmuraient de rapides compliments avec, dans les prunelles, des lueurs de désir. Alors je me levai d'un coup, agitai un bras et elle m'aperçut. Elle portait une robe de laine grise, un court manteau à gros boutons et s'était coiffée d'une toque de feutre sombre.

« Silvia », lui dis-je en l'attirant vers moi.

Elle semblait très à l'aise malgré tous ces regards d'hommes qui convergeaient sur nous et m'énervaient un peu. J'admirai sa peau fraîche, lisse, au grain délicat, et ses narines comme de menus coquillages roses, et ses paupières aux longs cils sur les larges yeux noirs qui, en me voyant, s'étaient éclairés. Elle me rassurait, elle brillait devant moi comme une lampe merveilleuse qui apaisait tous mes orages. Et il émanait aussi de sa chair jeune, de ses mains magiques comme une sorte de rayonnement tranquille et souverain.

Elle refusa de s'attabler, souhaita de partir au plus vite et je la conduisis jusqu'à la petite Fiat noire devant l'imprimerie. Je sortis de la ville par l'avenue de la Marine et la via di Portici en conduisant à bonne allure. J'étais heureux, je remerciai Silvia d'être venue et elle se contenta de sourire sans répondre. « *W gli Alleati, W il Re* », disaient des inscriptions au coaltar sur les murs de la caserne Diaz. Au sommet d'un des grands immeubles éventrés, une baignoire était restée en équilibre, au-dessus du vide, retenue encore par ses tubulures, et dans un miroir épargné dormait un peu de lumière blanche comme dans un œil d'aveugle. Parmi les décombres, des ruelles désertes, coupées de gravats, ouvraient leurs tranchées désolées où les couleurs encore vives de certaines tapisseries mettaient une note d'allégresse insolite. Parfois je me tournais vers Silvia qui tenait son sac à main sous le bras en se penchant pour regarder les ruines. On ne rencontrait sur la route d'Herculanum que des véhicules militaires. Dans les champs, le printemps tout proche avait réveillé les pruniers et les amandiers roses et blancs.

Et, soudain, Silvia me toucha le bras, m'incita à regarder en l'air. Le Vésuve était là, devant nous, mais si haut que mes yeux n'étaient pas allés chercher sa cime enneigée, d'une blancheur aride sur le bleu profond du ciel. Vu de Naples, il apparaissait plaqué sur l'horizon, lisse et brillant comme une feuille de métal découpé. Mais, d'ici, l'œil saisissait son volume, sa masse formidable installée au milieu du paysage, enracinée superbement dans les terres qu'il dominait. Les cultures couvraient les premières pentes, mais comme une végétation parasite. Elles s'arrêtaient pour montrer les flancs abrupts, couleur de cendre, le vrai corps, la vraie matière dédaigneusement stérile du géant. Ensuite commençaient les étendues de neige. Une fumée grise se gonflait lentement, s'inclinait vers l'est dans une gloire de soleil.

En bas, des maisons surgissaient — blanches et jaunes — de la verdure, mais au-dessus d'elles nous distinguions au fur et à mesure de notre avance, les éboulis pelés, les crevasses teintées d'un roux malsain sur les lèvres, les traînées compactes des laves. Et cependant, malgré ces signes d'une puissance farouche, le Vésuve paraissait accordé à la mesure humaine et les vergers et les jardins à ses pieds lui donnaient un air pacifique et rêveur. Et moi, près de Silvia, en ce dimanche après-midi, sur la route d'Herculanum, tandis que les canons tonnaient d'un bord à l'autre du monde, que des milliers d'hommes tombaient dans les clameurs de la guerre, je me sentais net et pur comme la neige qui étincelait au sommet du cratère, chacun de ses cristaux pénétré de lumière neuve !

A L'ENTRÉE de Pompéi, j'avais confié la Fiat à la garde d'un vieil homme qui vendait des colliers de corail et des coquillages. Surgis d'on ne sait où, des enfants étaient venus me proposer des pièces romaines et des dépliants où figuraient des reproductions de fresques érotiques.

Au moment de franchir la Porte de la Mer, Silvia m'expliqua que les aviateurs américains avaient bombardé les ruines parce qu'ils avaient pris les villageois réfugiés là pour des formations militaires allemandes. Près de quatre-vingt-dix maisons avaient été détruites, dont de très belles villas. De blanches colonnes cannelées étaient criblées d'éclats. Ecrasé, le bâtiment du musée, mais ses richesses, en partie récupérées, se trouvaient exposées à présent dans les Thermes du Forum. Nous nous y rendîmes, et moi j'étais décidé à laisser Silvia jouer son rôle de cicérone jusqu'à l'instant favorable où je pourrais l'attirer contre moi, lui parler doucement, lui faire comprendre de quelle faim toute mon âme souffrait.

Dans les Thermes, la fraîcheur qui tombait des voûtes humides me serra les tempes. On avait entassé le long des murs, en désordre, tout ce qui avait pu être sauvé des décombres de l'Antiquarium : des moulages de cadavres (une femme tombée à la renverse, un chien dans une attitude convulsée), des flacons de verre bleu à filets blancs d'une grâce exquise ; des bronzes, dont un « enfant au dauphin » qui devait orner une fontaine ; des coupes avec des pains carbonisés, des olives racornies, des grains d'avoine et de blé ; des masques-gargouilles ; un grand verre en forme de tête humaine dont la bouche béante servait d'ouverture ; des plats brisés, des lampes, des bijoux et des miroirs nombreux, couchés sur les dalles, de beaux miroirs verdis où se reflétaient comme dans de mystérieux étangs, la lumière immobile et blême de la salle. Et lorsque Silvia se fut rapprochée de moi, je vis nos deux images dans cette eau, comme deux fantômes de nous-mêmes qui seraient venus à notre rencontre du fond d'une étrange éternité.

Nous ressortîmes pour aller nous asseoir sur les marches du temple d'Apollon éclairé par le soleil frileux. Deux colonnes encadraient exactement le Vésuve dont le sommet, isolé à présent par les brumes, semblait flotter comme un gigantesque iceberg sur l'océan du ciel.

Lorsque Silvia se leva pour aller examiner je ne sais quel détail d'architecture, je l'observai, mince et droite, et le vent plaqua légèrement sa jupe sur ses cuisses, en dessina les formes harmonieuses et je sentis des éclairs me traverser la poitrine. Elle revint ensuite près de moi et je baissai les yeux pour qu'elle ne découvrît pas dans mon regard ce désir qui me tourmentait. Des lézards, entre les pierres, filaient soudain, vifs et onduleux. Je me tournai de nouveau vers Silvia. Elle avait soigneusement ramené sa jupe sur ses genoux, elle mâchonnait un brin d'herbe, paraissait sereine, détendue, alors que j'étais tout contracté. Un bref instant, j'eus envie de lui saisir les mains, de lui dire ce que je ressentais, pour détruire cette paix en elle qui m'irritait, comme une insupportable offense à ma passion. Mais je ne bougeai pas, enfoncé dans une molle paresse, je l'écoutais me parler de Cassino, de l'abbaye de Cassino. Etait-ce vrai qu'on allait la détruire, qu'un sénateur américain avait déclaré qu'elle ne valait pas, malgré tous ses prestiges, la vie d'un seul G.I. ? Ne faisait-on pas la guerre actuelle pour préserver une civilisation ? Et non seulement ses valeurs morales et spirituelles, acquises, formées au long des siècles, mais tout l'héritage matériel dont elle tirait sa force, son orgueil, sa confiance, ses certitudes ?

Je l'avais écoutée avec étonnement, surpris par la chaleur de sa voix et je lui répondis que les Allemands avaient transformé l'abbaye en forteresse.

« Ce n'est pas du tout prouvé, dit-elle. Les Allemands ont démenti.

— Consentiriez-vous à mourir pour sauver de la destruction l'abbaye de Cassino ou Notre-Dame de Paris ? »

Les yeux baissés, en jouant avec sa tige d'herbe qui se pliait et se dépliait entre ses doigts, elle dit avec une modestie émouvante :

« Je crois que je saurais le faire pour sauver une chose belle et qui mérite de durer plus que moi. »

Alors je m'allongeai sur la marche et restai

silencieux. J'en voulais à Silvia d'avoir donné à la conversation ce tour sérieux. Je lui en voulais d'être femme à regarder les êtres et les faits en face. Ce qui me déroutait un peu en elle, c'était cette maîtrise de l'intelligence et des nerfs. Je l'aurais aimée plus instinctive, moins méfiante à l'égard des mouvements de son cœur. Et elle parlait de la guerre et de Cassino sans savoir. Elle ignorait par exemple le feulement d'un lance-flammes, l'œil fou de l'homme pris dans le jet de feu et l'horrible odeur de chair brûlée. Elle ignorait la lente, l'interminable, l'atroce agonie au fond d'un trou de neige, comme ce camarade dont le tibia pointait de la jambe arrachée, blanc comme une fine corne d'ivoire. Je renonçais à lui expliquer que la mort, là-haut, n'était pas une chute tranquille et douce, dans un éblouissement de gloire, mais une aventure lugubre et sale.

Je me redressai, me rapprochai de Silvia, lui demandai, avec une nuance de raillerie dans la voix :

« Vous n'avez pas peur de la mort ? C'est cela, n'est-ce pas ? »

Elle se contenta de sourire de façon lointaine, et ce sourire exaspéra en moi une attente nerveuse que je contenais difficilement. Je pris Silvia aux épaules, la tournai vers moi et mes mains tremblaient. Mais elle s'écarta, sans brusquerie, d'un simple recul du buste, sans cesser de me regarder dans les yeux, avec une assurance ferme, et sans la moindre trace d'ironie. Je la sentais sur ses gardes, sûre d'elle, étrangère à mon émotion, et je me rejetai en arrière, m'allongeai de nouveau, les bras croisés sous la nuque, et je pensais : « Moi oui, moi j'ai peur ! Car je sais qu'ils m'attendent là-haut pour me tuer ! Et ils me tueront, Silvia, ou plutôt : ce qu'on va tuer en me tuant, c'est le bonheur ! »

Je fermai les yeux, j'écoutai mon cœur battre. Les pierres sous mon dos, sous mes reins, étaient glacées et leur froid me pénétrait. « Oh ! Silvia, je suis une protestation vivante contre un monde sauvage, cruel et lâche ! Peut-être le bonheur n'est-il au fond que ce moment, ici, parmi ces ruines ? Peut-être n'est-il que cette caresse du soleil sur les colonnes ? Ou cette immobilité, ce silence ? Ou ce vagabondage du vent à travers les prairies du ciel ? »

J'entendis alors près de moi Silvia qui disait :

« Continuons, voulez-vous ? »

Elle l'avait dit d'un ton de douceur et de tristesse comme si, pour la première fois, elle venait de percevoir de quelles inguérissables blessures je souffrais.

Nous visitâmes des villas, des temples, des jardins et des boutiques de la via dell'Abbondanza. Silvia me montrait des fresques et des mosaïques, attirait mon attention sur les sillons creusés par les charrois dans les dalles de la chaussée, sur l'usure des margelles à l'endroit où s'appuyaient les mains, sur les graffites le long de certains murs, sur mille signes et mille traces qui auraient dû m'émouvoir et qui cependant n'atteignaient pas mon cœur. C'est que des sentiments trop puissants me retenaient dans l'heure présente. Silvia prenait visiblement plaisir à me guider, à me faire admirer les beautés et les curiosités de ces ruines qu'elle avait maintes fois parcourues. Elle me conduisit à l'amphithéâtre et à la caserne des gladiateurs lorsque déjà le jour déclinait. La mer virait au violet et le sommet enneigé du Vésuve s'éteignait lentement comme une lampe qui s'épuise. De la campagne, le moindre appel, le moindre bruit nous parvenait, aérien, mélancolique. Il était temps de rentrer.

Dans la voiture, tandis que nous roulions vers Naples, je ne sais quelle angoisse insidieuse, peut-être née de la nuit, nous rapprocha un peu, nous incita aux confidences sur nos familles, nos études. Silvia avait deux frères plus jeunes qui militaient dans des groupes de résistance à Milan et à Turin. Elle avait commencé à préparer un diplôme d'enseignement, mais à la déclaration de guerre elle y avait renoncé. Et ces propos, échangés avec confiance jusqu'à l'arrivée, créèrent une certaine intimité entre nous, une sorte de complicité que je n'avais pu obtenir durant toute notre promenade. Aussi, à l'instant de nous séparer, de nouveau je tentai d'embrasser Silvia et cette fois encore elle se déroba en souriant.

« Je sais que ce n'est qu'un jeu, dit-elle, mais je refuse de m'y prêter.

— Un jeu ?

— Certes. Et sans importance pour vous. »

Je protestai. Je m'étonnai qu'elle pût ne pas soupçonner au moins ce que j'engageais dans ce geste. Je la pressai de croire qu'il n'y avait en moi aucun sentiment vulgaire et, tandis que je parlais, elle m'observait sans cesser de sourire, le visage touché par une bande de clarté qui sortait d'une fenêtre mal jointe, qui faisait briller ses yeux, ses lèvres fraîches.

« Vous ne vous interrogez pas assez », dit-elle.

Je répliquai :

« Qu'en savez-vous ? Et de votre côté, ne donnez-vous pas dans l'excès inverse ? »

D'un mouvement nerveux, comme si ma question l'importunait, elle se lissa les cheveux et ajouta cette phrase dont je devais me souvenir plus tard :

« Rien ne compte davantage que ce qui nous transforme intérieurement. »

A la fin, elle accepta de me rejoindre le lendemain, six heures, sous la Galleria, et comme la veille je la regardai disparaître dans les ténèbres du corridor.

J'ALLAI ranger la Fiat devant l'imprimerie, à l'endroit que Chanderli m'avait recommandé. Ensuite, je remontai la via Roma. Je me sentais désemparé, mécontent de moi-même. Cet après-midi à Pompéi ne m'avait pas apporté ce que j'espérais. Et qu'avais-je espéré ? Que Silvia s'écroulerait dans mes bras, s'abandonnerait dès que je lui aurais dit la force de mon désir ? Et qu'avais-je fait, d'ailleurs pour tenter de vaincre son indifférence ? Oui, je pouvais mesurer la vigueur du sentiment qui me tenait à ce manque d'audace, à cette timidité devant Silvia, comme si l'admiration et la ferveur m'avaient fait perdre les plus simples notions de stratégie amoureuse, qui requièrent en effet des sens à vif, mais un cœur libre et des yeux froids. Je me souvins d'une jeune femme d'Alger rencontrée sur une plage. Il avait suffi de quelques caresses furtives, dans l'eau, au cours de la baignade, d'une heure de danse le soir, sur la terrasse de l'hôtel, et cette même nuit elle se donnait à moi, nue sur le sable derrière de hautes touffes de genêts. C'était ma meilleure réussite dans ce domaine et je me la rappelais parfois avec un plaisir de vanité.

Je venais d'arriver à la via Baracca, décidé à retrouver la fille avec qui j'avais déjà fait l'amour. Je me mis à flâner dans les parages de l'Arizona où je l'avais rencontrée la première fois. Je continuais cependant à penser à mon après-midi qui m'avait laissé insatisfait — Silvia lointaine, Silvia en marge ! — sans cesser de mêler à ce sentiment le souvenir de mon aventure algéroise, de cette femme qui m'avait cédé après quelques heures d'hésitation, de scrupules (son mari la rejoignait le lendemain), de tentation visible et mal combattue... Merveilleuse nuit au bord de la mer, sous les étoiles, avec ce corps ouvert sous le mien, ces caresses fiévreuses. D'évoquer ce bonheur ancien creusait davantage ma déception.

A l'angle de la via Baracca et de la via Obersan, je tombai sur Castanier en uniforme d'aspirant du service de Santé. Je le connaissais d'Alger. Fils d'un riche colon de la région d'El Affroun et fonctionnaire au gouvernement général. Il avait un visage joufflu, des yeux étroits et légèrement bridés. Toujours content de lui-même, avec un air de railler ceux qui n'avaient pas son talent pour se tirer d'affaires, conserver ses aises et conquérir des avantages.

Il m'entraîna dans un petit bar voisin où je le suivis surtout par désœuvrement, par peur de cette soirée vide... Au fond de la salle, des tankistes anglais buvaient sous une affiche qui vantait une station thermale. « *Aprite la finestra al sole di Lacco Ameno d'Ischia.* »

Lorsqu'il sut que j'avais été blessé, Castanier me regarda avec une commisération ironique.

Ensuite il offrit de faire jouer de hautes relations en ma faveur, se vanta de pouvoir obtenir mon affectation à l'arrière. Je refusai et le remerciai sans chaleur. Alors, il se moqua de mes scrupules, assura que cette guerre n'était pas la sienne et qu'à ses yeux, sans l'Allemagne nationale-socialiste, la petite Europe dégénérée, privée des vertus qui avaient fait sa grandeur et permis sa domination sur le monde, deviendrait la proie des masses asiatiques. Il croyait vraiment à ce danger, évoquait des hordes mongoles et chinoises en route vers l'ouest comme ces millions de fourmis amazones qu'un infaillible instinct conduit vers un blessé. J'eus un geste d'agacement et il se tut. « *Lacco Ameno vi offre sole, serenità e salute...* » et je laissai mon regard se rafraîchir un instant sur cette image au centre de l'affiche, où des collines vertes, des maisons claires bordaient la mer sous un ciel d'une inaltérable pureté. Castanier vida son verre, dit qu'il se rendait chez une Napolitaine, jeune, belle et sans ressources. Son mari, comédien professionnel et fasciste convaincu, s'était enfui précipitamment de Naples à l'approche des armées alliées et travaillait actuellement à Radio-Rome dont il animait plusieurs émissions. Et au lit, durant les ébats, Castanier allumait le petit poste sur la table de nuit et obligeait sa maîtresse à faire l'amour en écoutant la voix de l'autre. Il paraît que la femme pleurait ou parfois se révoltait, et que ces larmes ou cette révolte ajoutaient incontestablement au plaisir.

Je découvrais en Castanier ce goût pervers de certains hommes pour faire souffrir les femmes et les humilier. Tout aussi complaisamment, il me raconta encore comment il réunissait parfois, dans un appartement loué sur la Riviera di Chiaïa, plusieurs filles, non des professionnelles mais des dactylos, des vendeuses, des ouvrières, des employées, qui le suivaient parce qu'il leur offrait beaucoup d'argent. Mais elles s'engageaient d'abord à satisfaire tous ses caprices et, après un repas arrosé de vins rares, il les faisait danser nues entre elles, organisait des concours de poses obscènes qui aboutissaient à des jeux érotiques savants et compliqués.

Il me quitta enfin, pressé de rejoindre cette femme qu'il tourmentait et qui peut-être devait l'attendre, espérer anxieusement son pas. Je restai seul accoudé au comptoir, l'esprit emporté sur des étendues de brumes. Personne ne m'attendait nulle part, ma vie n'avait aucune direction... J'avais toujours eu le cœur libre jusque-là. Je m'étais habitué à cette liberté et je découvrais en moi, depuis ma rencontre avec Silvia, d'étranges changements. Ah, il existait un autre côté de la vie où il importait peu d'être fort, riche ou puissant, où il était possible d'échapper à l'angoisse, à la solitude, à l'obsession de la vie brève et de la mort infinie... A cette heure, Silvia songeait peut-être à moi, à ma gaucherie ridicule, à mes avances maladroites. Qui sait si une tendresse légère ne se glissait pas dans sa pensée ? Ou peut-être étais-je loin d'elle, complètement hors de son âme, absent de sa conscience ? Cette idée me fit mal. Je ne pouvais supporter l'image de Silvia, seule dans sa chambre, indifférente et séparée de moi comme d'un étranger. Je regardai le patron avec mépris. Il avait la face grêlée et portait des tatouages sur les avant-bras. Je lui commandai un autre verre d'alcool, le bus d'un trait, payai et sortis.

Devant la porte de l'Arizona, des filles étaient à l'affût dans l'ombre. J'offris mon bras à l'une d'entre elles dont j'avais distingué le mince visage triangulaire, la bouche ironique et la taille étroite. Nous marchâmes d'abord en silence mais à hauteur de la via Roma ma compagne proposa de m'emmener chez elle, à moins que j'eusse un autre projet. Je dis que nous irions chez elle et je la suivis par les rues désertes, car le couvre-feu approchait.

Elle s'appelait Teresa et habitait une chambre de bonne sous la terrasse d'un grand immeuble derrière la poste. Pour avoir, la nuit, ses « coudées franches », elle graissait la patte du concierge que parfois même elle payait « en nature ». Elle me parlait de ses ruses d'un ton gouailleur, satisfaite de jouer ce bon tour aux bourgeois des beaux appartements qui croyaient habiter une maison respectable.

Une fois dans la place, je me jetai sur le lit et regardai les photos fixées sur les murs, des portraits de danseuses en tenue légère, d'artistes au sourire éclatant. Et l'inévitable crucifix barré d'une branche de buis.

De son côté, Teresa se déshabillait, découvrait son corps blanc aux seins un peu fanés mais à la croupe ferme et belle. Sur le ventre et sur les hanches, l'élastique de la culotte avait laissé une trace rose. Je n'éprouvais aucun désir, j'aurais aimé repartir, et cependant l'idée de me retrouver seul m'était insupportable. Déjà la fille commençait à jouer son rôle. Elle me souriait dans la glace d'un petit air canaille et prometteur, tout en activant sa toilette, et je comprenais que rien ne comptait pour elle au-delà de la chair, qu'elle était égoïste et veule, créature mutilée, confinée dans une vie rétrécie où les sentiments avaient aussi peu d'importance que les sourires de ces photos absurdes. Elle fredonnait à présent, s'essuyait les cuisses avec une grâce indécente tandis qu'allongé, les mains sous la nuque, je l'observais assez froidement, sans aucune envie d'elle.

Pourtant, lorsque Teresa s'approcha du lit, à petits pas, sur la pointe des pieds, que la lumière de la lampe toucha ses épaules, ses seins, ses hanches rondes, la fine toison du sexe, aussitôt un arbre parut pousser en moi, dresser son tronc vigoureux, étirer irrésistiblement sa ramure de feu. Alors j'étendis le bras, j'attirai Teresa sur ma poitrine en soupirant.

LORSQU'AU matin suivant je retournai chez Mme Ruggieri, la vieille dame se dirigeait vers la chambre de Joe en tenant à deux mains un vaste plateau chargé d'un petit déjeuner. Je la suivis et dès qu'elle eut tiré les rideaux, la lumière réveilla le dormeur.

« Ah ! te voilà, Serge ? D'où sors-tu ? »

D'un bond il s'assit sur le lit, embrassa la vieille dame en l'appelant « mamma », ce qui parut la combler d'aise. J'attendis qu'elle fût repartie pour dire que j'avais passé la nuit avec une fille et Joe renonça à me tirer des confidences. Cette discrétion me plut et je restai un long moment silencieux, à fumer, enfoncé dans un fauteuil. Mme Ruggieri revint pour demander si je voulais moi aussi déjeuner, mais je refusai. Joe se mit alors à me raconter sa soirée. On l'avait invité au Giardino degli Aranci, un dancing réservé aux officiers alliés, quelque part sur les hauteurs de Naples. Joe avait même pris la place du pianiste pendant une demi-heure jusqu'à l'arrivée d'une superbe « lieutenante » australienne, une rousse flamboyante qu'il avait aussitôt entreprise. Mais un commandant américain, passablement ivre, s'était mis en tête de la lui disputer. Au bar, verre en main, il avait finalement déclaré à Joe :

« Au fond, tout est la faute des Juifs.

— Je suis juif, dit Joe avec hargne.

— Raisonnons ! dit le commandant. S'il n'y avait pas les Juifs, il n'y aurait pas Hitler. S'il n'y avait pas Hitler, il n'y aurait pas la guerre. Et s'il n'y avait pas la guerre, les bons et braves Américains ne seraient pas en Europe et personnellement je ne pourrirais pas sur pied devant ce trou infect de Cassino.

— Sophisme ! avait crié Joe.

— *What ?*

— Sophisme ! Ce sont les capitalistes yankees, et même anglais et français qui ont fabriqué Hitler ! Ils préféraient une Allemagne nazie à une Allemagne socialiste ! Ne me racontez pas d'histoires ! »

Alors le commandant s'était mis à pleurer en demandant pardon à Joe et ensemble ils avaient bu des boissons « terrifiantes » jusqu'à la fermeture du dancing.

« Et au lieu de m'occuper de cette rousse merveilleuse qui m'avait fait bénir cette guerre sans laquelle je ne l'aurais jamais rencontrée, j'ai dû prendre en charge ce sac à whisky. Je ne pouvais l'abandonner ainsi dans l'état avancé où il se trouvait et je l'ai embarqué dans la jeep d'un ami pour le ramener chez lui. Une corvée exténuante, Serge ! Il habitait au cinquième étage d'un immeuble endommagé par une bombe. Chaque palier était coupé et il fallait franchir le vide sur des passerelles sans garde-fou. Et comme l'Américain gigotait, je me demande par quel miracle nous ne sommes pas allés nous fracasser en paquet dans la cour ! »

J'avais écouté Joe distraitement. Il écarta le plateau, se pencha vers moi :

« Hé, je t'ai rapporté cette histoire inepte pour au moins te faire sourire. Qu'est-ce qui ne vas pas ?

— Je n'en sais rien », dis-je.

Il sortit du lit, prit des cigarettes, se mit à fumer lentement :

« Serge, dit-il à la fin, tu cours derrière un mirage. »

Joe sembla soudain désireux de me conseiller, de m'encourager à résister au mal qui me tenait.

« Ecoute, viens avec nous, ce soir. Il y aura cette petite Américaine blonde, Doris. Je l'ai revue. Elle m'a parlé de toi.

— Ah ! Doris, dis-je en sortant de mon fauteuil. Jolie fille... »

Mais je refusai, alléguai la fatigue et passai dans ma chambre. Je me jetai aussitôt sur le lit, allumai une nouvelle cigarette et tournai et retournai dans mon esprit ce mot de mirage qu'avait employé Joe. Ce n'était pas du tout le mot qui convenait. Je me découvrais au contraire avide de certitudes. Par les vitres de la fenêtre un pâle soleil venait glisser sur le tapis fané. Bientôt, bientôt, je devrais remonter en ligne et peut-être Joe avait-il raison. Peut-être la sagesse commandait-elle en effet de ne rien laisser derrière moi, de retourner là-haut, le cœur dur et lisse comme un galet. Mais le seul nom de Silvia éveillait en moi une émotion bondissante, comme un appel au fond d'un labyrinthe. Cette nuit avec Teresa, nos jeux voluptueux et pervers, avaient assouvi l'ardeur de mon sang mais non ma nostalgie d'un mystère essentiel, d'un ravissement sans fin, d'une ferveur surhumaine. Je me jurai de parler le soir même à Silvia, de lui confier la force prodigieuse qui me poussait vers elle et je me convainquis peu à peu que ma passion enfin la toucherait, la troublerait. Silvia se serrerait alors contre ma poitrine et murmurant des mots de tendresse, en reconnaissant qu'elle n'avait jamais attendu que moi. Elle me sourirait, heureuse que je la protège, et je baiserais avec douceur ses joues, ses lèvres, ses cheveux, et j'étais sûr qu'en un moment pareil, un nouveau soleil surgirait des abîmes, flamboierait sur le monde pour le transfigurer.

Elle avait les yeux pleins de larmes et je me dis qu'elle pleurerait peut-être de la même manière si elle apprenait un jour que j'avais été tué.

« Poverino, dirait-elle aussi. Il était triste et bizarre comme s'il en avait le pressentiment. »

Mon rendez-vous avec Silvia était à six heures et bien qu'il fût beaucoup trop tôt je me préparai fébrilement à la rejoindre.

J'allai m'installer dans le café de la Galleria Umberto, près du percolateur qui étincelait de tous ses nickels. J'avais acheté la collection complète des quotidiens italiens de Naples. Un peuple renaissait à la vie politique, après des années de dictature, ce qui motivait cette débauche de feuilles et d'articles enthousiastes ou vindicatifs. Je m'efforçai de lire avec une extrême attention jusqu'à la moindre dépêche, surtout pour échapper à l'ennui de l'attente. Mais à l'heure prévue, je commençai à guetter Silvia. D'abord je ne m'inquiétai pas de son retard. J'admettais qu'il lui serait plus difficile d'être exacte au rendez-vous un jour de semaine que le dimanche. Je regardai défiler dans la Galleria des ouvriers las et anxieux, des jeunes filles insouciantes, des officiers italiens aux beaux uniformes ornés de plumes et de plumets, d'or, d'argent ou d'aiguillettes, et peu à peu s'insinua en moi une angoisse intolérable. Si elle n'allait pas venir ? Au fur et à mesure que les minutes s'écoulaient, je devenais de plus en plus nerveux, je ne cessais d'observer l'entrée de la Galleria, du côté de la via Roma, et, dans le crépuscule, chaque silhouette qui rappelait celle de Silvia me faisait bondir le cœur. Je me donnai pour me rassurer un certain nombre d'explications possibles, mais lorsque le retard de Silvia atteignit une demi-heure je n'y tins plus, je me levai, demandai au patron du café l'autorisation de téléphoner. Dans l'annuaire, je trouvai facilement le numéro de la librairie Varella et je me souviens que j'avais le visage brûlant et l'esprit tendu comme si un danger sournois me menaçait.

Lourde et traînante, une voix d'homme — sans doute celle de M. Varella — me répondit que la signorina Damiani avait déjà quitté la librairie.

« Depuis longtemps ?

— Près d'une heure !

— Vous êtes sûr ?

— Oui, monsieur ! (Ici, ton de légère impatience.)

— Vous ne savez pas où elle est partie ?

— Non. Je regrette.

— Attendez. A-t-elle un numéro personnel de téléphone ?

— Non. »

Il raccrocha brusquement. Peut-être l'avais-je indisposé par un ton un peu agressif, comme si je l'avais tenu pour responsable de ma déception.

A mon tour je raccrochai. N'était-ce pas clair ? Avais-je besoin d'une confirmation plus nette ? Silvia se dérobait. La veille, déjà, sa résistance était sensible et m'avait laissé amer. J'avais à présent la preuve que mon anxiété était fondée. Silvia se tenait sur ses gardes et elle venait de fixer elle-même, de façon déplaisante et inhabile, les limites de nos rapports, ceux d'une camaraderie qu'il est vain de prolonger, de nourrir, de charger trop longtemps du poids dangereux des souvenirs. Je lui trouvai soudain l'âme dure et calculatrice. Je m'étais laissé abuser par la tendresse de son sourire, de son regard, par cette promesse inconsciente et mystérieuse qui était en elle alors que tout n'était qu'attitude et mensonge. Oui, Joe avait sans doute raison, je courais derrière un mirage. En quittant le bar, comme j'oubliais ma monnaie, le patron me rappela et j'eus un sursaut d'espoir, une réaction rapide et stupide. Je revins vivement sur mes pas croyant qu'on venait de recevoir un message pour moi ou que Silvia, enfin, m'appelait au téléphone pour s'excuser, me demander de patienter encore, m'annoncer son arrivée... Mais non.

« *Grazie, grazie tante* » dit le patron en raflant le pourboire.

Je gagnai la via Roma en me disant que je devais agir, que je devais décider quelque chose. Une volonté combative se levait en moi à mesure que j'avançais, que je montais vers la Piazza Dante en m'enfonçant dans la foule à coups d'épaule.

MES pas me portèrent jusque devant la maison de Silvia sans que réellement j'eusse réfléchi à ce que j'allais faire. Un long moment je demeurai devant le porche à observer les fenêtres d'où ne filtrait aucune lumière. Un vent aigre me glaçait le visage. Je regardai les angelots et les frises d'acanthes qui ornaient la façade et au-dessus de l'entrée une figure rêveuse, sculptée dans du marbre, une tête auréolée de sa propre chevelure et qui souriait de façon énigmatique. Mon irritation se calmait. Je m'en voulais d'avoir cédé au dépit, d'avoir accusé Silvia. Elle était sans doute de ces jeunes filles qu'effraie leur première rencontre avec l'amour, qui en pressentent les joies mais aussi les ravages et qui hésitent devant l'inconnu. A Pompéi, je l'avais sentie enfermée dans une certitude morale, protégée par une droiture foncière contre lesquelles ma passion se heurtait.

Ma pensée tournait autour de cette idée lorsque près de moi une voix d'homme me demanda du feu. Tout de suite après une lente bouffée, le garçon me dit :

« Vous ne voulez pas m'emmener avec vous ? »

Il devait avoir dix-huit ou dix-neuf ans. Ses cheveux ondulés étaient coupés très bas sur la nuque. Il portait sous sa veste un pull-over noir à col roulé et je distinguais ses longs cils, ses lèvres fardées.

« Non », dis-je avec humeur.

Il hésita un court instant, son mince visage tout crispé.

« Est-ce que je ne suis pas beau ? Est-ce que je ne vous plais pas ?

— File en vitesse, dis-je d'un ton acerbe.

— Je comprends, monsieur. Je comprends que vous avez peur de m'aimer... »

Il parlait d'une voix douce, pleine de tristesse, et lorsqu'il tirait sur sa cigarette, la lueur éclairait de beaux yeux cruels.

« Moi, si vous acceptiez, j'aimerais vous aimer, ajouta-t-il en se rapprochant d'une allure glissée, précautionneuse.

— Je te répète de filer...

— Tous les hommes ont besoin d'amour, monsieur. Vous devriez m'emmener avec vous... Ou alors donnez-moi deux cents lires. »

Je refusai. Il se fit suppliant :

« Au moins des cigarettes. Donnez-moi des cigarettes, monsieur. »

Je lui remis mon paquet et il s'éloigna sans remercier. C'est alors que j'entrai délibérément dans l'immeuble. J'avais le sentiment d'avoir perdu un temps précieux, d'avoir trop tardé à prendre la seule décision possible et je demandai à la concierge l'étage des Massini :

« *Americano ?* dit avidement la vieille, et je vis dans son regard un éclair de convoitise.

— *No, signora, Francese...* »

Elle parut déçue et me donna le renseignement du bout des lèvres. Je la remerciai, lui remis un peu de monnaie pour lui prouver que si nous n'étions pas riches nous avions du cœur.

Je grimpai l'escalier et m'arrêtai devant le logement des Massini, pris soudain de scrupule. Je regardai la poignée de la sonnette en forme de griffon sans oser la tirer. Mais je cédai à la pensée que Silvia se tenait là, derrière cette porte, tout près de moi, et j'appelai.

J'écoutai anxieusement un pas dans le couloir. L'homme qui ouvrit m'observa d'abord avec surprise, mais lorsque j'eus demandé à voir Silvia il me pria d'entrer. Il le fit d'un ton de froide politesse.

Tout me parut étrange et insolite dans la pièce où je pénétrai. Elle était encombrée de meubles entassés le long des murs, de caisses, de valises et de grands paniers d'osier peut-être remplis de vêtements et de linge. Sur son trépied, un mannequin de couturière bombait la poitrine, et par une écorchure on voyait la paille qui le bourrait et l'armature de fer.

« Excusez le désordre, dit M. Massini. Une bombe a endommagé notre maison. Ceci est un abri provisoire. »

Il avait une voix brève qui s'accordait à son visage osseux, à son corps sec, au regard autoritaire de ses yeux qui cillaient à peine. Je remarquai qu'il était très soigné de sa personne, ses cheveux gris habilement peignés et plaqués pour dissimuler leur rareté, la moustache bien taillée juste au-dessus de la lèvre. Il portait un costume bleu marine et une cravate de soie à rayures qui me sembla trop voyante pour un homme de son âge. Je mis cependant cette recherche d'élégance sur le compte d'une coquetterie masculine propre à certaines régions méditerranéennes.

« Je vais chercher ma nièce », dit-il.

Et il me désigna un fauteuil mais je restai debout, mon calot à la main, embarrassé de moi-même, intrigué aussi par le silence épais qui régnait dans l'appartement.

Et soudain, j'entendis un déclic et, sans parvenir à dominer ma curiosité, je m'approchai de la porte du fond pour y coller l'oreille, mais avant même que j'eusse atteint le battant je vis Silvia, immobile, qui m'observait. Elle m'avait rejoint par le couloir et, de surprise, je restai figé, sans dire un mot. A la fin, je murmurai :

« Silvia... »

Elle avait un air de lassitude et d'accablement et je la regardai s'avancer dans la pièce, s'appuyer au bras du fauteuil. Elle portait un corsage beige, une jupe marron. Ce collier d'or qui brillait à son cou, c'était le premier bijou que je lui voyais.

« Pardonnez mon indiscrétion, dis-je. J'ai craint que vous ne soyez malade... Cela vous fâche que je sois venu ? »

Ma question parut la surprendre.

« Me fâcher ? »

Et elle eut un mouvement d'épaule que je pouvais interpréter à ma guise. Mais comment savoir si mon initiative lui était réellement indifférente ?

« Je ne parvenais pas à m'expliquer pourquoi ce soir vous étiez absente à notre rendez-vous. J'ai eu peur... »

Je m'exprimais avec application, soucieux de

donner à chaque mot son exacte valeur. J'étais près d'elle à présent, de nouveau charmé par ce qu'il y avait de pur, de tendre et aussi d'enfantin dans ce visage. Je n'avais connu que des femmes déjà faites avec qui l'amour restait avant tout un ardent plaisir des sens, une recherche chaque fois plus intense et plus raffinée de ce plaisir et je comprenais qu'il pouvait être surtout un merveilleux rayonnement de l'âme, un accord avec la création, un défi à la mort. Et ceci s'accompagnait néanmoins d'un désir exaspéré. Il suffisait d'un regard sur ce cou délicat où palpitait une veine, sur la gorge que le souffle animait, sur le ventre dont je devinais la courbe légère pour me donner envie de dénuder ce corps, de lui arracher ses vêtements, de le tenir à ma merci, livré entièrement à ma passion, à mes caresses, jusqu'au délire, jusqu'à la jouissance éperdue, la possession totale ! Je fus pris d'une sorte de panique à découvrir en moi ces remous, cette tentation de violence mêlée à ma tendresse, et je m'efforçai de donner à ma voix un ton suppliant, car je savais que ma voix avait changé depuis que je vivais au grand air de la guerre et qu'elle s'était faite plus âpre et plus profonde.

« Silvia, que se passe-t-il ? »

J'aurais voulu à présent la prendre dans mes bras, mais pour la bercer, la rassurer, la consoler. J'avais tout de suite dominé cet instinct brutal qui m'avait enflammé le sang. J'observais ses traits, sa pâleur. J'insistai :

« Silvia, me direz-vous ?

— J'ai dû quitter en hâte la librairie, dit-elle. On m'a téléphoné que ma tante venait d'être victime d'un malaise... »

D'un air apitoyé, je remuai lentement la tête, mais en vérité je me sentais soudain apaisé par cette explication qui me libérait de mes doutes. Je demandai en marquant bien mon intérêt :

« Est-ce grave ? »

Elle parut gênée et répondit de façon évasive. J'en conclus qu'il s'agissait d'une alerte sans conséquences et que l'état de la malade s'était amélioré.

« Silvia, je vous verrai donc demain ? »

Elle me regarda et dit ensuite rêveusement :

« Oui. Je crois que demain tout ira mieux. »

Je m'apprêtais à repartir. Elle ajouta :

« Pour ce soir, je vous en prie, excusez-moi. »

Cette seule petite phrase et le sourire étrange qui la parait me firent trembler le cœur de joie, comme s'ils m'annonçaient que la résistance de Silvia commençait vraiment à fléchir.

Je sortis dans le couloir, marchai vers la porte et voici qu'une voix rauque appela Silvia, et j'attendis, une main sur le loquet.

« C'est ma tante, dit Silvia. Elle vous réclame. Je crains fort, si vous acceptez, que vous ne vous ennuyiez. »

J'acceptai et suivis Silvia jusqu'à la chambre où, sur un lit somptueux, une vieille dame était couchée, tout habillée, une couverture jetée sur les jambes, la tête enfoncée dans un vaste oreiller. La lampe de chevet — abat-jour de dentelle et socle de bronze ouvragé — éclairait son visage sec, vidé de pulpe, ses paupières gonflées, ses lèvres pâles, marquées aux commissures, ses longues mains cireuses posées sur le satin.

Mais le sourire qu'elle m'adressa dès que je fus assis parut la rajeunir. Cette femme avait dû être très belle et des traces de cette ancienne beauté subsistaient dans le dessin parfait du front, le délicat modelé du nez, la coupe même des longs yeux sombres. Elle me dit que Silvia lui avait décrit notre promenade du dimanche et cette révélation me surprit, et je me tournai vers Silvia comme si elle avait livré un important secret.

« Ah ! Pompéi, Pompéi, murmura la vieille dame. J'en ai moi aussi de merveilleux souvenirs... »

Je me sentis troublé par cet aveu et je dirigeai mon regard vers la haute cheminée ornée de lourds candélabres.

« Avez-vous remarqué, monsieur, comme Silvia me ressemble ? continua-t-elle. Elle est la fille de ma sœur aînée et c'est de moi qu'elle « tient », plus que de sa mère ! »

Ce propos acheva de me mettre mal à l'aise. Il était vrai, cependant, qu'on pouvait déceler dans ces traits flétris comme un reflet lointain du beau visage de Silvia.

« Tenez, regardez... »

Prestement, elle avait tiré un sac à main de dessous l'oreiller, un de ces anciens sacs à main entièrement faits de perles, et elle en sortit des photographies qu'elle me tendit. Sur une plage, une jeune femme en longue robe blanche souriait sur un fond de vagues déferlantes. La même créature apparaissait assise sur l'herbe, dans un paysage de prairies et de collines.

« Vous voyez ? » dit-elle.

Je voyais Silvia, je reconnaissais ce fantôme et je ne sais pourquoi j'eus le cœur serré.

« Vous voyez ? » répéta avidement la vieille dame en se soulevant sur un coude et, par politesse, je hochai la tête et simulai une discrète admiration.

A cet instant, j'entendis derrière moi un ricanement. Je me retournai et surpris M. Massini près de la porte. Il observait sa femme avec une ironie méchante, les pouces aux entournures de son gilet. Il dit de sa voix sèche :

« Je m'absente un moment. Je serai de retour avant le départ de Silvia. »

Il s'inclina légèrement vers moi :

« Serviteur, monsieur. »

Il disparut avant même que j'aie pu lui rendre son salut. Son pas vif sonna dans le couloir puis j'entendis claquer la porte, comme tirée d'une main nerveuse. Je me tournai de nouveau vers le lit et découvris que la vieille dame avait les yeux pleins de larmes. J'étais certain à présent que je côtoyais un petit drame dont, pour le moment, je ne pouvais trouver le sens. Je pris congé avec une aisance affectée et Silvia me reconduisit jusqu'au palier. Comme je quêtais du regard une explication, elle se déroba une fois de plus :

« Ce n'est rien », dit-elle.

Elle paraissait cependant préoccupée. Mais de toute cette scène, un détail entre tous m'avait frappé. Je demandai à Silvia si elle devait vraiment ressortir au cours de cette même soirée, puisque la phrase de l'oncle l'avait laissé entendre.

Elle me regarda comme si elle cherchait à découvrir quelque arrière-pensée dans ma question. Puis elle m'expliqua qu'elle habitait l'ancien appartement de son oncle, dans la partie épargnée, où l'on avait pu lui aménager une chambre.

« Mais c'est peut-être dangereux ! » dis-je, alarmé, et mon inquiétude n'était pas feinte.

Cette fois, elle sourit, d'un sourire assez contraint, cependant. Non, ce n'était pas dangereux et si son installation manquait de confort, en revanche elle y avait l'avantage de la tranquillité, car, de haut en bas, ce qui restait de l'immeuble était à peu près désert. Je faillis étourdiment demander à connaître ce refuge qui déjà m'attirait, mais je me retins de justesse.

DURANT les quatre ou cinq soirées qui suivirent, Silvia fut toujours exacte au rendez-vous dans le petit bar de la Galleria Umberto. Nous visitions des églises, de vieux coins de Naples, et moi je profitais de la moindre occasion pour lui parler de mon amour. Mais sans cesse je me heurtais à son attitude réservée ou à son expression d'ironie qui me désespérait davantage. Dès que j'étais seul, je m'interrogeais : que pouvais-je représenter pour elle ? Qu'étais-je donc à ses yeux ? Un homme qui devait retourner au danger et qu'il était charitable de ménager. Peut-être consentirait-elle à me procurer, sans risques pour elle, quelques heures de douceur et d'oubli avant ma « plongée aux enfers » ? Et jamais je ne parvenais à obtenir une confidence précise. Ah ! elle savait demeurer discrète et secrète !

Un soir, nous étions entrés dans un petit cinéma où l'on passait le film *Golgotha* avec Jean Gabin en Ponce Pilate, le crâne rasé et l'œil malin. (Il m'amusa parce qu'il ressemblait à mon colonel.) On nous avait placés au centre de la salle et celle-ci d'ailleurs était à peu près vide. Silvia fut si captivée par le spectacle que son « éloignement » me devint insupportable. Je me décidai à lui prendre la main qu'elle m'abandonna un long moment tant son esprit était accaparé. Ensuite, je me penchai, lui baisai doucement la paume, lui caressai la chair du bout de la langue et d'abord elle se laissa faire sans réagir: Et brusquement, dans un sursaut électrique, elle se retira. Dans la pénombre, je distinguai son visage. Elle me lança deux ou trois fois un regard de contrariété. Mais je souriais, car j'étais à peu près sûr que cette indignation était feinte ou exagérée.

Le lendemain, les journaux annoncèrent que le Vésuve avait cessé de fumer. *Risorgimento* écrivait qu'un tel phénomène se produisait pour la première fois depuis cent quarante et un ans et qu'il s'agissait là, selon les experts, d'un symptôme essentiel qui précède une éruption. A l'Observatoire, ajoutait le rédacteur, les grondements qu'on recevait de l'intérieur du cratère en laissaient prévoir l'imminence. Et, Dieu sait pourquoi, cette nouvelle me causa plus d'impression que celles, par exemple, qui annonçaient l'investissement d'Odessa par les Soviétiques ou la prochaine ouverture d'un second front.

Ce même jour, à l'heure habituelle, je descendis avec Silvia jusqu'au petit port de Santa Lucia, déjà pris dans l'ombre que projetait le Castel dell'Ovo. Du parapet, j'entendais chanter des soldats américains de la D.C.A., groupés autour de leur canon. Ils chantaient en chœur *As time goes by*, une scie à la mode qu'affectionnait Joe. Il faisait froid, la nuit venait. En l'absence du panache familier, un élément manquait au paysage napolitain qui prenait un aspect inaccoutumé, étrangement « inanimé ». Etait-ce cette impression ou le chœur nostalgique des artilleurs ou le faux et lourd crépuscule que créait la masse du château fort, mais je sentais mon cœur gonflé de sang. J'écoutai Silvia me parler d'une admirable et rarissime collection de classiques français — appartenant à un riche armateur de Benevent — qu'elle travaillait à restaurer. La pluie avait traversé le toit crevé de la bibliothèque et aggravé les dégâts. Un bataillon ghurka avait ensuite occupé la propriété. Les soldats avaient ajouté leurs saccages et parmi d'autres déprédations un précieux volume qui contenait l'*Athalie* de Racine, finement illustrée, portait la trace précise d'un talon de l'intendance britannique, c'est-à-dire durement clouté. Je faillis répondre que la guerre était mauvaise aux livres comme aux hommes, mais la banalité de cette réflexion m'apparut à temps et je ne dis rien. Nous nous tenions, Silvia et moi, accoudés tous deux au parapet et je sentais son bras contre le mien. J'aimais cette voix qui me parlait de travaux paisibles tandis que je regardais les barques et la mer. Des étoiles brillaient à présent, nettes et vives, toutes proches en apparence et rondes dans le ciel satiné. Il me semblait qu'en étendant simplement la main je pourrais les cueillir comme des fruits de la nuit, comme les fruits d'un paradis ouvert à tous et facilement accessible.

Ensuite, Silvia me parla de son oncle Massini et de sa tante. Je la trouvais ce soir bien plus loquace que d'ordinaire, mais je me gardais de l'interrompre. Elle me disait que les Massini s'étaient aimés avec passion dans leur jeunesse, mais que lui, aujourd'hui, n'acceptait pas chez sa compagne l'usure des années. Il continuait à vivre tourné vers le passé, agrippé à des souvenirs comme si l'âme n'avait pas vieilli avec le corps. De son côté, la tante avait vite abdiqué. Trente années communes n'avaient donc pas marqué ces deux êtres de la même manière et ils se retrouvaient « imperméables » l'un à l'autre. C'est le mot que Silvia employa. L'oncle entretenait une maîtresse, bien sûr, une très jeune femme dont, paraît-il, il conservait la photographie dans son portefeuille. Je murmurai railleusement :

« Encore un « éternel adolescent »...

Et Silvia se tut soudain. Je regrettai aussitôt d'avoir parlé, d'avoir interrompu ce monologue. Pour la première fois, elle me livrait des confidences, en désordre il est vrai, mais qui témoignaient d'un besoin de confiance dont je n'avais pas tout de suite capté l'intensité. Du large arrivait vers nous un étrange rayonnement porté par des lueurs qui couraient sur les eaux. A cet instant je compris le sens de ces ombres et de ces signes, et lentement je me tournai vers Silvia, la pris par les épaules, l'attirai contre ma poitrine sans qu'elle réagît. Je lui dis que je l'aimais. Nous étions seuls au-dessus du petit port. Les soldats s'étaient éloignés et on les devinait assis sous le môle, révélés par les points rouges de leurs cigarettes. Nous étions bien seuls et toutes les ténèbres du monde semblaient s'amonceler sur notre solitude, approfondir notre isolement. Pour la première fois,

Silvia se laissa embrasser, mais sans me rendre mon baiser, les yeux ouverts, inerte dans mes bras, étrangère et présente, et je pressai ma joue contre ses cheveux, ému par ce corps contre le mien, par cette tiédeur qui gonflait ma chair d'un bonheur doré. Je lui dis encore des mots de ferveur et de tendresse sans qu'elle répondît à mon désir, sans qu'elle cessât de maintenir sa bouche durement fermée. De nouveau je caressai de mes lèvres ses lèvres froides auxquelles le fard donnait une légère saveur d'amande et je palpai l'étoffe de sa taille, son dos, sa hanche, dont le contact m'affolait. Mais soudain, Silvia mit ses deux mains en avant pour m'obliger à m'écarter. Je sentis son effort, les reins cambrés, le buste raidi et je la laissai se dégager en protestant tout bas : « Pourquoi, Silvia ? Pourquoi ? »

« Je veux voir clair en moi », dit-elle.

Dans l'ombre, son visage me parut légèrement crispé. Elle ajouta d'un ton plus sourd, en souriant cette fois :

« C'est le premier baiser que je reçois d'un homme. »

Alors je lui pris de nouveau les mains, lui répétai mais vainement des phrases passionnées, tout mon corps marqué par cette brève étreinte, tout mon être épanoui, grisé d'espoir, assoiffé de bonheur.

« Méfiez-vous, dit-elle avec une nuance de raillerie. J'accorde une grande importance à la valeur des sentiments. »

Que n'ai-je. ce soir-là, prêté à ces mots si simples leur sens exact d'avertissement, de mise en garde ?

J'ARRIVE ainsi au 18 mars, qui était un samedi. C'est ce jour-là que le Vésuve entra en éruption. A l'appel de Joe, je grimpai sur la terrasse de l'immeuble où déjà d'autres locataires nous avaient précédés. Très haut, une gigantesque colonne de fumée montait, épaisse et convulsée, le sommet étalé en un immense parasol qui bourgeonnait, s'effilochait, ondulait, s'éparpillait pour se reformer encore et dans cette masse fulminaient des éclairs. De la maison de Mme Ruggieri, on ne voyait pas le volcan lui-même, rien que cette fumée accompagnée d'un mugissement sourd. Autour de nous, on s'exclamait, on invoquait saint Janvier, le patron de la ville, et les vieilles marmonnaient des prières, chapelet aux doigts. Joe, en simple pyjama malgré le froid, prédit que, la nuit, le Vésuve servirait de phare aux bombardiers allemands. Ceux-ci n'auraient qu'à se guider sur sa lueur. Hamlet prenait des photographies tandis que de la rue montait vers nous la rumeur d'une foule qui se lamentait, craignait que le phénomène ne s'aggravât, n'entraînât la destruction de Naples. Nos voisins s'enhardirent à nous interroger. Nous devions savoir, nous qui avions de l'instruction, qui étions des *alleati.* Est-ce que les bombardements répétés n'avaient pas provoqué des effondrements dans les profondeurs du sol, perturbé les corridors habituels du volcan, préparé un flot de lave qui engloutirait la cité ? Joe répondit qu'il n'était pas du tout renseigné, mais qu'il ne fallait pas s'en faire.

A six heures, lorsque je me rendis à la rencontre de Silvia, la nuit était une fausse nuit, car la torche immense du Vésuve brûlait le ciel et ses reflets pourpres s'étiraient très loin sur les champs frissonnants de la mer. Toutes les rues baignaient dans une clarté rose qui donnait aux visages un teint enflammé.

Et nulle part on ne pouvait oublier cette présence, ce déchaînement démesuré de fureur qui maintenait dans l'esprit une angoisse latente. On se tournait sans cesse vers l'énorme fumée où s'ouvraient des cavernes flamboyantes, vite détruites, où se tordaient d'épaisses volutes frangées de rouge, criblées d'étincelles.

Sous la Galleria Umberto, tandis que j'attendais Silvia, je contemplai, au-delà des poutrelles rouillées de l'ancienne verrière, un pan de ciel orangé qui palpitait comme prêt à s'éteindre, à s'enténébrer, pour soudain s'aviver, briller d'un éclat somptueux de vitrail.

Les passants étaient rares. Où était la foule habituelle qui fréquentait la galerie ? Elle avait dû gagner les faubourgs menacés où déjà s'organisaient les processions.

Comme chaque soir, je craignais que Silvia ne manquât le rendez-vous et à l'approche de l'heure fixée je devenais nerveux. Le bar était désert et je pensais que Silvia pouvait se lasser de cette cour de plus en plus pressante que je m'obstinais à lui faire en dépit de sa retenue, et peut-être patientait-elle parce que ma permission n'allait pas tarder à finir, parce que mon départ de Naples n'était pas tellement éloigné... Et comme d'habitude je me répétais que ce soir je vaincrais enfin, je forcerais son cœur ; il me venait des élans de sensualité qui me séchaient la bouche et me brûlaient entre les cuisses. Joe m'avait encore proposé une soirée avec Doris, mais je ne voulais pas Doris, je ne désirais aucune autre femme au monde. Silvia, seule ! Silvia... Ah ! elle arrivait enfin, elle avançait de sa démarche aisée, « ailée ». Je la regardais, élégante et fine, toute cambrée à cause de ses souliers à hauts talons, et elle me sourit de loin, d'un sourire amical et complice. Alors je me sentis devenir fort et invincible, je me sentis réchauffé comme si je venais de sortir d'un lac glacé ; je fus convaincu en un éclair qu'une puissance bienfaisante gouvernait ma vie, lui donnait un sens, la guidait vers le bonheur.

Elle s'assit en face de moi et je restai à la contempler et je crus discerner que pour la première fois mon regard la troublait, ou, si le mot est trop fort, qu'il détruisait en elle une ombre, qu'il faisait trembler tout au fond de ses yeux une lumière nouvelle, timide et secrète encore.

Silvia m'offrit d'assister à la procession de la cathédrale où l'on devait prier saint Janvier pour qu'il protégeât la ville, pour qu'il écartât le malheur, mais je dis que j'avais horreur des bousculades et des scènes de fanatisme populaire. Le seul ton de ma voix dut trahir mon désir de rester seul avec elle, car elle sourit de nouveau, fit mine de se résigner à ma tyrannie et je l'entraînai vers Santa Lucia où je savais trouver la plus parfaite tranquillité.

Mais je me trompais, car de nombreux Napolitains étaient déjà descendus jusqu'à la Banchina et jusqu'aux parapets de la via Nazario Sauro pour admirer le spectacle du Vésuve. Le volcan lançait sa gerbe de feu et de flammes tout droit contre le ciel et elle s'épanouissait, retombait en fontaine brasillante, éclairait tout le paysage qui apparaissait dans une lumière rougeâtre, révélé jusque dans ses plus infimes détails, jusqu'à la ligne de pins sur une crête ou à la tour isolée à la pointe d'un cap. La mer elle-même avait pris une teinte de sang et sur la colline le château Saint-Elme ressemblait à un énorme gâteau rose. Et toujours ce grondement soutenu, comme si des milliers de trains roulaient à toute allure à travers l'espace.

Autour de nous les gens s'exclamaient, montraient la coulée de lave éblouissante qui se dirigeait vers Portici et je ne sais quel sentiment poussa Silvia à me prendre le bras, à se serrer contre moi dans un élan de confiance qui me fit intimement plaisir.

Longtemps nous restâmes tous deux ainsi, muets d'admiration et d'effroi, à contempler la masse enflammée qui dévorait l'horizon, se déversait à gros bouillons incandescents, tandis que l'énorme carapace de fumée se teintait par-dessous de vert, de rose corail, de rouge zinzolin, et que des explosions soudaines, à l'intérieur du cratère, provoquaient des jets de feu en éventail, des giclées ondulantes. Et des éclairs creusaient dans le panache lui-même d'éphémères grottes bleues ou violettes, sans cesse englouties, reformées, enfoncées, ravagées par de lourds et puissants remous.

Je sentais Silvia peser de mon côté et je lui pris la main pour la baiser, la mordiller, sans qu'elle m'opposât cette fois de résistance, et tout ce grand cataclysme au fond du ciel me faisait sourire à présent parce qu'il s'alliait à une douce, à une merveilleuse certitude. De sa main libre, Silvia me montra des navires qui manœuvraient dans le port, qui s'éloignaient d'une zone peut-être menacée. D'autres bateaux scintillaient comme des jouets en pâte de verre et l'on distinguait jusqu'à leurs plus fins gréements. Parfois des secousses agitaient la terre sous nos pieds et Silvia et moi nous regardions, émus et souriants, tandis qu'autour de nous tous les visages étaient marqués par l'anxiété ou la frayeur. Vers les îles, au loin, la mer s'était couverte d'écailles et de pustules. Portés par une brise glacée, des cris nous parvenaient de la ville où la procession devait tourner à l'hystérie collective. J'entraînai Silvia du côté opposé, en direction de la Riviera di Chiaïa, par la via Partenope, bordée d'édifices ruinés.

Il faisait assez clair pour nous permettre de lire une affiche de petite dimension rédigée en anglais et en italien avec la photo d'un soldat américain. Sa tête était mise à prix pour vingt mille lires. Coupable d'assassinat sur la personne d'un commerçant napolitain. Suivait le signalement.

Dans le restaurant agréable et discret où nous nous installâmes, je questionnai Silvia sur son oncle Massini et j'appris ainsi qu'il reprochait sans cesse à sa femme d'être une malade imaginaire et surtout d'avoir laissé son cœur vieillir et son corps se sécher. Il était terrible d'égoïsme et aurait définitivement abandonné sa compagne si l'autre, la jeune maîtresse, avait accepté de vivre avec lui. Mais de ce côté-là, aussi, couvait un drame sur lequel Silvia ne savait rien de précis.

En dépit de tout elle aimait sa tante qu'elle savait pleine de bonté et de noblesse et par une pente naturelle nous en vînmes à parler du bonheur, tandis que des serveurs, élégants et beaux comme des séducteurs de théâtre, nous entouraient, s'empressaient, nous conseillaient un plat ou un vin avec des mines prometteuses, des expressions complices. La patronne, juchée sur une haute chaise derrière le comptoir, sa vaste poitrine ornée d'un collier à quadruple rang de perles, avait mis à tourner un disque de refrains populaires, des airs langoureux et passionnés. Ces attentions nous amusèrent et une nouvelle Silvia m'apparut ce soir-là, une Silvia enjouée, tout épanouie, qui me regardait avec une véritable nuance de tendresse comme si elle ne se défiait plus de moi ni d'elle. Et à propos du bonheur, elle me dit qu'elle ne pouvait le concevoir comme un état permanent d'égoïste tranquillité, mais comme une conquête quotidienne, pour un accord harmonieux, absolu, entre deux âmes.

J'avais souri au mot « absolu ». Elle surprit mon sourire, ne s'y arrêta pas, comme sûre de son propos, enfoncée dans sa conviction profonde. Elle reprochait précisément à son oncle d'avoir conduit sa vie à la manière d'un insecte qui s'enferme dans son cocon pour une léthargie dont il ne naîtrait rien.

J'aimais qu'elle se montrât ainsi, plus ouverte,

plus proche de moi, et en même temps j'étais un peu étonné de l'importance qu'elle accordait à sa conception du bonheur, de la réflexion sérieuse qu'elle semblait y avoir apportée.

Nous parlions en français, de manière à n'être pas compris des serveurs qui nous épiaient, attentifs à notre conversation comme à nos moindres gestes, indiscrets avec gentillesse. Et derrière eux, je voyais les vitres de la porte colorées de cette clarté rouge, comme le rappel d'un proche et irrémédiable désastre qui incitait à se hâter de vivre et de s'aimer.

Je ramenai Silvia chez elle, non chez l'oncle Massini où la place manquait, mais dans la maison où elle avait sa chambre. C'était un grand édifice à cinq ou six étages avec un porche majestueux au-dessus duquel deux atlantes bossués de muscles soutenaient en grimaçant un large balcon central. Les riches locataires avaient déserté la maison trop exposée à leur gré et s'étaient installés dans leurs propriétés de campagne. La bombe avait détruit l'aile droite mais sans provoquer de victimes car les quelques personnes qui habitaient encore l'immeuble se trouvaient ce jour-là dans un abri voisin. De la rue, on n'apercevait rien des dégâts. A peine si l'on remarquait le trou noir d'une fenêtre, au dernier étage, privée de ses persiennes.

Silvia vivait donc seule, mais la concierge restait logée au rez-de-chaussée dans la partie intacte. Pour améliorer ses ressources, la vieille femme s'était offerte à la garde de chiens et de chats dont les maîtres avaient momentanément abandonné le quartier. Chats et chiens habitaient les trois garages de l'arrière-cour d'où il se dégageait une telle odeur que Silvia, pour gagner sa chambre, utilisait l'escalier de service dont la porte donnait directement sur la rue.

Nous nous trouvions près de cette porte à l'instant de nous séparer. Je demandai plaisamment à Silvia si elle avait pris peur de l'amour devant l'exemple malheureux de ses oncles Massini et elle secoua la tête, déclara en souriant qu'elle n'avait pas du tout peur de vivre. (Il y avait dans le ton de sa voix une nuance de défi qui n'était pas feinte.) Je répondis qu'on pouvait croire le contraire à son comportement. En même temps, j'attirai Silvia dans mes bras. Elle me résista mais sans véritable volonté, en suppliant à mi-voix de cesser, de la laisser, et je voyais ses yeux briller, un peu élargis. Lorsque je l'embrassai, cette fois ses lèvres cédèrent sous les miennes, s'ouvrirent à ma caresse, tièdes et gonflées. Je prolongeai ce baiser et je sentais contre ma poitrine le contact de sa gorge. Sous mes mains ce corps frémissait, et je le serrai plus fort. Mais soudain, Silvia me repoussa, s'écarta, très pâle, comme honteuse de son abandon. Je distinguai une sorte de confusion dans son regard. Elle se mit à arranger ses cheveux pour prendre une contenance, puis me quitta sur un « bonsoir » hâtif. Je la laissai partir, je n'eus même pas la tentation de la retenir, touché par cette émotion, ravi de cet éveil, certain à présent qu'elle viendrait peu à peu à moi.

Dans la lumière rouge qui descendait du ciel, qui se reflétait sur les dalles humides, je restai seul, ébloui de bonheur, décidé à devenir bon et juste, à ne plus jamais céder à ces instincts méprisables qui parfois m'empoisonnaient le cœur.

Finalement, je m'éloignai mais, arrivé au carrefour, je me retournai vers la rue vide, déserte sous son brouillard sanglant, et ma joie était si claire et si forte que je ne pus m'empêcher de crier de toute la puissance de mes poumons : « Sil-via-a ! »

Mon cri monta, triomphant, dans l'air glacé, vers le ciel tout proche où couraient de fantastiques lueurs pourpres.

Eт tout s'accomplit en ce mémorable dimanche, en ce jour de mars 1944, à Naples, pendant la plus cruelle des guerres.

Pour commencer, et dès le réveil, Joe me rappela qu'à la fin de la semaine suivante nous devrions nous présenter à l'hôpital pour une visite médicale avant de rejoindre nos unités respectives. Le propos me fit grogner de dépit. Joe m'apprit aussi que nous avions changé de secteur et que nous serions de nouveau engagés le long du Garigliano contre la 90e division allemande, division d'élite, « dont les soldats-colosses — insistait Joe avec mauvais goût — ne mouraient qu'une fois réduits en hachis ».

Un peu plus tard, Joe revint avec un numéro de *Patrie* et me lut une information sur le Vésuve. Des milliers de tonnes de lave glissaient sur les pentes à la vitesse de quatre mètres à la minute et la coulée principale large de cinq cents mètres, se dirigeait vers le sud, menaçait Torre del Greco. Le village de San Sebastiano était à demi détruit, et on craignait encore pour Torre Annunziata et Pompéi. Si le bord du cratère s'écroulait, cela provoquerait une explosion formidable. La pluie de cendres et de lapilli atteignait jusqu'à Salerne, mais grâce au vent qui se maintenait au sud-est, Naples jusqu'ici restait épargnée. A l'heure actuelle, on comptait vingt-quatre morts et près de trois mille personnes sans abri.

Joe plia le journal, se jeta sur un fauteuil et dit qu'il irait en auto, l'après-midi, avec Chanderli, jusqu'à l'Observatoire. Il se taillait les ongles avec application, les jambes hautes, appuyées au bord de la commode.

« Pourquoi ne viens-tu pas avec nous ? demanda Joe.

— Si je viens, je ne serai pas seul. »

Il tourna vers moi son regard gris et vif :

« Notre présence ne vous gênera pas, Serge. Je puis t'assurer que Chanderli et moi ferons preuve d'une discrétion sans faille, même si vous exagérez devant nous vos épanchements. »

Je ne sus que répondre. Cette courte excursion me tentait et j'étais sûr qu'elle ferait plaisir à Silvia. Joe continuait à se tailler les ongles, et le petit déclic de l'instrument qu'il utilisait m'attaquait les nerfs.

« Serge, les choses vont-elles pour toi comme tu le souhaites ? »

Il paraissait absorbé par sa tâche, mais je le devinais attentif à ma réponse.

Je fus pris d'une ardeur subite, d'un élan d'enthousiasme que je ne pus maîtriser :

« Joe, je vais te faire une confidence que je ne peux livrer qu'à mon meilleur ami, qu'à un frère...

— « Frère du choix plus fort que le sang... » récita-t-il d'un ton d'ironie gentille.

— Joe, c'est une jeune fille merveilleuse ! »

Il me regarda fixement et après un court silence dit d'une voix de théâtre :

« Je me sens écrasé d'avoir été choisi pour une confidence de ce poids. Serge, je jure de me montrer digne de ta confiance.

— Non, ne plaisante pas. Joe, si cette jeune fille n'est pas à moi, à moi complètement et pour toujours, je crois que je me tuerai ! »

Je savais une telle déclaration ridicule, bien entendu, mais les mots avaient jailli de moi comme, la veille, mon cri dans la nuit.

« Collégien ! dit Joe. Tu accumules tous les symptômes et aucun vaccin n'existe pour ton cas. »

Il soupira comiquement :

« Ah ! Serge ! Et penser que tu as été jusque-là un garçon si raisonnable ! Parfois même spirituel ! »

Il se leva, se dirigea vers la porte, se retourna, ménageant ses effets :

« Sais-tu qui tu me rappelles ? Ne te fâche pas : ce pauvre Alfred de Musset... Il te manque seulement le pélican ! »

D'extrême justesse, Joe esquiva le soulier que je lui lançai.

L'après-midi nous trouva sur la route de Salerne, dans la petite Fiat. Chanderli conduisait, Silvia près de lui, Joe et moi sur la banquette arrière. Mais après Bellavista, impossible de continuer. Rabattu par un vent furieux, le torrent de fumée obstruait la route, roulait au ras de la chaussée. Ce vent soufflait avec une telle violence qu'il arracha les lunettes de Chanderli.

Nous nous étions arrêtés en bordure d'un petit chemin, à quelques mètres des volutes qui se tordaient en dégageant une forte odeur de soufre, de caoutchouc brûlé. Des pierres crépitaient sur les tôles de la voiture, nous frappaient au corps. Poudrés de la tête au pied, deux motocyclistes anglais surgirent à l'air libre mais le second, touché au visage par un caillou, s'effondra sur le côté. Je vis la chair ouverte, comme une seconde bouche, de la narine au milieu de la joue. Silvia poussa un cri et retourna dans la voiture. Ce trait de sensibilité m'étonna et je vins près d'elle lui dire que la blessure était moins profonde et moins grave qu'il n'y paraissait. J'avais en la matière quelque expérience. Et puis, le sang effraie toujours, etc.

D'ailleurs, l'Anglais se remettait déjà en selle après s'être essuyé la face et repartait dans une pétarade glorieuse du moteur. Silvia me regardait pensivement.

« Comment avez-vous été blessé ? dit-elle à la fin.

— Ah ! une vraie « cornada » de matador, répliquai-je en montrant ma hanche et d'un ton de bonne humeur. Mais rien d'héroïque. Une sorte d'accident d'automobile. »

Ensuite la Fiat grimpa vers l'Observatoire par des lacets de plus en plus serrés, encombrés de curieux qui montaient à pied. Partout des amas de lave, vestiges d'anciennes éruptions. Le paysage devenait de plus en plus sinistre et çà et là des fumées jaunes sortaient de terre. Nous étions dans le val d'Enfer. Peu après il nous fallut laisser la voiture et continuer à pied, le visage fouetté par le vent glacé qui nous faisait pleurer. Nous traversâmes un vaste champ de cendre très molle et pulvérulente dans laquelle on enfonçait jusqu'aux mollets et qui, sous les doigts, était tiède et douce. Cette marche pénible pour tout le monde se révéla plus difficile pour moi et comme je traînais un peu en arrière ce fut Silvia qui vint à mon aide, qui me prit le bras et je la remerciai en lui affirmant que ce n'était qu'une ruse pour lui redire, à l'écart, mon amour.

De la plate-forme de l'Observatoire, on découvrait le cratère tout proche d'où sortait cette tempête de fumée avec un grondement impressionnant, une sorte de râle énorme et profond.

Impossible de grimper jusqu'à la lèvre dont l'approche était défendue par la couche de cendre de plus en plus épaisse et qui, sur la pente abrupte, se dérobait sous nos pieds.

Nous nous tenions serrés l'un contre l'autre, poudrés d'une farine grise qui se prenait à nos cils et à nos cheveux. Silvia s'était protégée la tête de son écharpe, un pan ramené sur le visage dont on ne voyait que les yeux.

Nous étions là, près du monstre. L'Observatoire affirmait que le vent, sans défaillance, se maintiendrait au sud-est. Nous ne courions, par conséquent, aucun risque d'être pris sous la fumée. Cependant, je me sentais angoissé. Aussi donnai-je le signal du départ. Pour retourner à la voiture, la descente se révéla fort malaisée à cause de la cendre qui parfois cédait sous les pas ou à cause de plaques de laves dangereusement glissantes.

Galamment, Joe tendit la main à Silvia pour l'aider à marcher et il me fit une petite grimace complice que je devais interpréter comme le signe d'une admiration très vive pour la jeune fille et d'un sentiment d'envie à mon égard.

Nous nous séparâmes devant le théâtre San Carlo. Joe partait pour Capoue où il devait passer la soirée avec son infirmière et Chanderli retournait à son journal.

J'entraînai Silvia à l'Arizona, presque désert, où nous bûmes du vermouth dans un coin retiré de la salle. Parce qu'il y faisait sombre — une rangée d'ampoules éclairait seulement l'entrée — je tentai de l'embrasser, mais cette fois elle m'en empêcha. Elle s'était reculée et me souriait d'un sourire un peu crispé.

A voix basse, nous parlâmes ensuite de nos rêves et de notre avenir. Silvia aurait voulu, après la guerre, ouvrir à Milan une grande librairie, et moi je lui dis que j'aurais aimé écrire au moins un livre, un livre qu'elle recommanderait à sa clientèle.

« Quel genre de livre ? demanda-t-elle. Un roman ?

— Un roman. Une histoire d'amour si bouleversante et si passionnée qu'à la lire chaque lecteur devrait sentir mon cœur battre comme s'il le tenait entre ses mains.

— Vous êtes romantique, dit-elle de façon railleuse.

— Qui sait ! »

Le silence de la salle était à peine troublé par les chuchotements de quelques couples et devant nous la piste de danse luisait, inutile, car elle ne servait plus depuis peu, depuis qu'une grande dame de la Croix-Rouge l'avait interdite « par respect pour la France endeuillée ». Les officiers permissionnaires n'avaient donc qu'une ressource si le bal les tentait : se faire inviter dans les dancings affectés aux Anglais et aux Américains.

« Silvia, dis-je avec douceur, avez-vous déjà été amoureuse ?

— Non, jamais...

— Moi non plus, je n'ai jamais été amoureux jusqu'à ce que je vous rencontre. »

Et les mots eux-mêmes parurent me griser et il me sembla que nous voguions tous deux au centre d'un nuage scintillant, emporté dans l'espace. J'ajoutai aussitôt :

« Car je vous aime, Silvia, et vous m'aimerez, et vous m'appartiendrez, vous serez ma femme ! »

Elle me regarda froidement, eut un geste de contrariété :

« C'est absurde, dit-elle. Vous me connaissez à peine.

— Est-ce nécessaire ?

— Vous me connaissez peu et mal... »

Elle affectait à présent de n'attribuer à mes propos aucune importance réelle, ce qui m'irrita. Elle dit encore, nonchalamment, après une bouffée de cigarette :

« L'homme que j'aimerai ne verra plus le monde que par mes yeux. Je serai son seul univers comme il sera entièrement le mien... »

Elle souriait d'un air lointain, les yeux brillants à travers la fumée. Je devinais qu'elle me parlait comme jusqu'ici elle ne m'avait jamais parlé.

« Je dois vous paraître bien exigeante, n'est-ce pas ?

— Vous êtes absolue.

— Cela vous déçoit ?

— Non. Cela me... »

Et je ne sus exprimer le sentiment aigu que j'éprouvais.

Je restai silencieux un long moment. A la fin, je proposai d'aller danser dans quelque petit bal de quartier puisque aussi bien l'Arizona ne servait plus à rien. Elle accepta.

« Ciao ! » nous dit le garçon quand nous sortîmes.

J'avais repéré une salle derrière la cathédrale et, tandis que nous marchions, je me pris à redouter ce soir de Naples, froid et rouge, et comme exaspéré.

magnifiques cheveux noirs encadrant un visage triangulaire de chatte malicieuse. Je l'observai tandis qu'elle parlait avec son cavalier, un beau gaillard au corps délié, au buste moulé par un tricot blanc au col marqué d'une bande rouge. Quelques fresques ornaient les murs latéraux et représentaient des scènes de pêche ou de vendange dans les parages du Vésuve. Le trait avait cette souplesse et cette grâce naïve que j'admirais déjà en Algérie chez les artistes qui décoraient les cafés maures.

Dès que l'accordéon reprenait, les garçons s'avançaient vers les jeunes filles avec une nonchalance étudiée, en se glissant entre les tables. Et, de leur côté, elles les attendaient d'un air faussement détaché, ou au contraire elles se levaient et les accueillaient en souriant de plaisir.

Silvia me dit qu'elle appréciait l'endroit et en effet il y régnait une atmosphère de cordialité et de gentillesse. Nous commençâmes à danser et tout de suite je fus ému par la chaleur de son corps contre le mien. Ses cheveux dégageaient un parfum de fleurs fraîches qui ajoutait à mon trouble et peu à peu je m'enhardis à la serrer davantage jusqu'à recevoir comme un don merveilleux la pression légère de son ventre et de ses cuisses. Sous la robe, sa chair dégageait une tiédeur qui me pénétrait tout entier et je désirais Silvia avec une force, un emportement dont elle devait avoir conscience. Souvent, en effet, elle rejetait la tête et arrière et je voyais son front bombé, ses sourcils minces et ses yeux larges et sombres qui devinaient tout et dans lesquels je me perdais. Oh ! Silvia, Silvia, je venais d'entrer dans un royaume où le bien et le mal n'avaient plus de sens ! Un royaume où l'on pouvait oublier enfin l'horreur des morts dans la neige, là-haut, et les corps misérables déchiquetés par les obus ! Où l'on pouvait oublier cette atroce vérité de la terre qui ne promettait rien ! Et dans le tournoiement de la valse, des couples, parfois, nous heurtaient et j'entendais « *scusi, signor* », « *prego, signor* », comme un murmure flatteur, un encouragement caressant. Et je serrais davantage Silvia, lui déclarais de nouveau ma passion, mes lèvres contre son oreille, mais elle s'écartait, me regardait d'un air tendrement moqueur, comme si elle connaissait les ruses des hommes et se savait armée pour les déjouer, pour leur résister ! Elle était citadelle inconquise, imprenable et je le lui dis, enfiévré de désir tandis qu'elle souriait avec une ironie amusée. La danse terminée, je lui reprochai sa froideur, son insensibilité, alors elle rit vraiment, montra ses dents très blanches entre les lèvres roses et brillantes et j'eus envie de mordre cette bouche comme un fruit magique qui apaiserait la faim que j'avais d'elle. La musique recommença, mais je n'entendais rien, j'étais hors de cette agitation, très loin avec Silvia dans mes bras et il me sembla que c'était la vie que je tenais et qu'elle méritait tous les sacrifices et tous les courages ! Et pourquoi Dieu n'existerait-il pas puisqu'il existait des minutes aussi exaltantes, des moments aussi parfaits, aussi lumineux ! Et j'eus l'illusion que Silvia s'appuyait un peu plus contre moi, souriante, les yeux fermés, la gorge gonflée, et que je tournais avec elle au centre d'un bonheur éblouissant, comme au cœur même du soleil.

Je l'attirai contre moi, la maintins ainsi, un bras autour de son épaule. J'étais calme, seulement étonné par ces signes de nervosité et même de peur véritable.

Ce n'étaient pas des M.P., mais des *Rangers*, des hommes de nos forces d'assaut, comme l'indiquait leur badge sur la manche. Ceux-ci étaient australiens. Ils n'étaient pas armés et portaient cependant le casque de combat.

Je discernai une menace dans leur descente précautionneuse et surtout dans leurs sourires cyniques. Ils étaient six, à présent, les poings accrochés par le pouce à la ceinture, comme des masses au repos. Deux d'entre eux mâchaient du chewing-gum et leur rumination trop nerveuse trahissait une excitation étrange. Ils demeuraient groupés au bas de l'escalier. De leurs yeux clairs, au ras de la bordure du casque, jaillissaient des regards rapides qui allaient d'un visage à l'autre, s'attardaient une seconde sur celui d'une jeune fille, se fixèrent soudain sur moi, sur mon uniforme, puis sur Silvia, avec une imperceptible nuance d'ironie et de méchanceté. J'avais déjà compris ce qui se préparait. J'étais au courant de ces raids opérés surtout par des *Rangers* de toutes nationalités. Le musicien, qui semblait être aussi le patron de la salle, descendit de son estrade, s'avança vers les soldats, leur parla courtoisement — on devinait néanmoins qu'il avait la gorge nouée. Il s'adressa aux nouveaux arrivants comme s'il s'agissait de clients ordinaires, leur dit — dans le silence étouffant qui s'était établi — qu'ils étaient les bienvenus, à condition de bien se tenir, de lui éviter des ennuis avec les M.P. On l'avait déjà menacé de le déclarer *off limits*, de placer sur sa porte le fatidique rond noir à deux barres croisées, et même de fermer définitivement la salle, de le priver, en cas d'histoires, de son gagne-pain. Il plaidait à présent d'un ton humble, la face toute grise et tordue de tics sous l'effet de la peur. Le *Ranger* qui paraissait mener le groupe écouta le vieux jusqu'au bout puis d'un vif et puissant mouvement du bras l'envoya contre le mur. Oui, je savais : certains *Rangers* permissionnaires enlevaient des jeunes filles, la nuit, dans les bals de quartier mal surveillés. Ils les renvoyaient au matin, ivres de tant d'assauts, lasses à mourir, les yeux battus, les bras chargés de cigarettes, de chocolat, de boîtes de conserves, et il fallait vite conduire les malheureuses chez un médecin, avant même de porter plainte à la Prévôté, pour prévenir le danger de maladie.

Le *Ranger* qui avait bousculé le patron fit deux pas en avant. Je serrai plus fort Silvia qui me parut très pâle. Et soudain, le soldat bondit vers l'une des jeunes filles, la prit par le poignet, l'attira irrésistiblement sur sa vaste poitrine. Elle se débattit, hurla, parvint à se dégager. Des cris de frayeur, « *Aiuto ! Aiuto !* », de colère, d'indignation éclatèrent aussitôt. Des jeunes gens s'armèrent de chaises ou de guéridons, pendant que les autres soldats couraient vers les proies les plus proches. Une fuite éperdue précipita les femmes contre la porte de la cour, mais dans une telle panique qu'elles l'obstruèrent, donnant le temps aux ravisseurs d'opérer. La petite au visage de chatte, aux boucles noires, déjà saisie à l'épaule, fut dégagée de justesse par son cavalier, le garçon au pull-over blanc. Il frappa le soldat à la mâchoire, d'un coup sec et précis. L'Australien releva vivement son casque que le choc lui avait presque rabattu sur la figure. La fureur faisait étinceler ses prunelles. Il se tourna vers son adversaire. La jeune fille se faufila dans un groupe et disparut. J'avais repoussé Silvia vers la porte de secours en m'efforçant de la dérober aux regards des assaillants. Dès que Silvia serait en sécurité, je pourrais intervenir aux côtés des jeunes Napolitains qui faisaient front avec courage mais ne savaient pas se battre, encaissaient des coups terribles, roulaient à terre en criant des injures. Je tenais Silvia par la taille, pour marquer qu'elle m'appartenait, que je la protégeais et j'avais confiance dans mon uniforme, le même après tout que portaient ces brutes. Mais le chef du commando m'avait repéré dès l'arrivée. Il me découvrit alors que j'avais déjà presque atteint la sortie et s'élança en écartant tout sur son passage. Je n'attendis pas le choc et frappai le premier, manquai ma cible et reçus un coup à l'épaule dont j'atténuai l'effet grâce à une courte feinte. J'espérais que Silvia s'échapperait avant que je ne sois assommé, car je n'avais aucun doute sur l'issue de mon combat personnel. Je n'ai jamais été ce qu'on appelle un « bagarreur » et c'est à l'entraînement, au camp d'instruction de Cherchell, que j'avais acquis les quelques notions de *self-combat* que je possédais. Mais l'Australien devait peser au moins quatre-vingt-dix kilos et moi, de toute manière, je sortais à peine de l'hôpital. L'inégalité des forces était évidente. J'avais devant moi un colosse. surexcité par ma résistance et le désir rapace qu'il avait de Silvia.

« Frenchie, ne fais pas le mauvais ! » dit-il

en anglais. Il souriait férocement, montrait ses dents verdies par le tabac.

Déjà ses camarades emportaient des filles vers les camions dans un envol de jupes, un gigotement de jambes et de bras, et d'autres soldats descendaient à leur tour qui s'étaient jusque-là tenus dehors en attente.

« Frenchie, lâche la môme ou tu vas déguster ! » dit-il encore, méprisant, sûr de sa supériorité. Il avait des yeux porcins, des joues épaisses et enflammées. Je jetai mon poing gauche en avant, il esquiva avec une habileté, une précision de boxeur professionnel, et je compris que j'étais perdu. Mais il y avait Silvia, Silvia qui ne fuyait pas, qui restait plaquée au mur, derrière moi ! Je tombai de nouveau sur mon ennemi, le touchai, par chance, durement au cœur mais reçus moi-même en revanche un direct en plein milieu de la poitrine qui m'ébranla jusqu'au fond des os ! Dans la seconde d'observation qui suivit — nous récupérions tous les deux en haletant ! — j'entrevis une fille qui se débattait, laissait sa jupe aux mains d'un Australien. Elle apparut en culotte blanche, assez fine et transparente pour montrer la tache sombre du pubis. J'eus la vision rapide d'un soldat qui riait aux éclats et je frappai, avec une vigueur diminuée cependant, comme si mes bras s'étaient remplis de plomb. Quelqu'un parmi les *Rangers* avait obligé le patron à reprendre son accordéon, soit par jeu, pour corser l'aventure, soit pour couvrir les cris et dérouter peut-être quelque patrouille M.P. La jupe de la jeune fille dépouillée vola par-dessus les têtes, chut sur le dos de mon adversaire qui, surpris, ouvrit sa garde ; j'en profitai pour le toucher à la mâchoire en accompagnant le coup de tout l'élan de mon épaule, de tout le poids de mon corps ! Il recula, essuya du revers du poing ses lèvres crevées et tout ensanglantées. Alors sa fureur prit une tournure démente ! Il s'empara d'une chaise, me la jeta dans les jambes, j'esquivai, il arrivait déjà sur moi comme un taureau d'arène. Il réussit à me prendre à la ceinture et je parvins à me dégager en projetant mon genou entre ses cuisses. Il plia, recula, mais il était doué d'un étonnant pouvoir de récupération et revint, massif, déchaîné, les poumons sifflants, une écume rougeâtre sous les narines, la bouche noire de sang. Je voyais dans ses yeux rétrécis par la haine une flamme meurtrière qui me fascinait. Il tenta de me saisir le bras — clef de judo ! — mais je me méfiais et je connaissais la parade ! Et dans un autre instant d'observation, je vis Silvia à la même place, paralysée d'horreur, incapable de fuir par la porte à présent grande ouverte, incapable d'accomplir les deux pas sauveurs qui l'auraient jetée dans la cour, dans la demi-obscurité, vers une autre issue, vers une définitive évasion ! J'étais désespéré ! Et toute cette scène se déroulait dans une atmosphère de folie, dans les miaulements déchirants de l'accordéon — un soldat tenait en respect le musicien ! — dans la lumière écœurante des ampoules balancées au bout de leur fil ! Je commençais à faiblir et chaque coup que je recevais usait impitoyablement mes forces. Chaque fois cependant, je contre-attaquais avec fureur, mais sans grande efficacité. Je manquais d'air, il me semblait que mes côtes endolories s'enfonçaient dans ma poitrine. Si à ce moment quelqu'un m'avait glissé un couteau dans la main, ah ! je l'aurais enfoncé avec délices, avec volupté, avec frénésie, dans cette montagne de chair qui dégageait une odeur fauve de sueur chaude. Et comme sur un assaut adverse je reculais, je trébuchai contre l'extrémité d'un banc ou peut-être d'une table renversée, je ne sais ! Je fus légèrement déséquilibré et l'autre en profita, réussit dans l'instant même à exploiter ma situation, me frappa à la tempe. J'eus en tombant la présence d'esprit de m'accrocher à sa jambe. Pour se dégager, il me secoua, me cogna sur le dos, sur la nuque, sauvagement, mais je restai lié à lui, sachant que si je lâchais prise, Silvia était perdue ! Et je me cramponnai avec une volonté barbare, malgré les lueurs rouges qui passaient dans mes yeux, malgré la douleur qui me prenait au ventre comme si ma blessure s'était ouverte sous les coups de pointe, comme si mes intestins se mettaient à pendre tandis qu'un feu atroce me brûlait les chairs ! Je ne sais comment l'Australien parvint à se dégager de mon étreinte, mais aussitôt qu'il fut libre, il me frappa de nouveau, je partis en arrière, le crâne éclaté, et je le vis se tourner, intact, vainqueur, triomphant, vers Silvia. Il parut étonné de me revoir debout et s'élança sans hésiter à la charge, mais je pouvais à peine mouvoir les bras et il me semblait que je traînais mes entrailles derrière moi, qu'elles s'emmêlaient à mes jambes, me fixaient au sol comme le poids d'un sac énorme, qu'elles étaient tombées en paquet comme je l'avais vu là-haut pour des camarades éventrés par l'artillerie, et peut-être avais-je leurs yeux exorbités, leur face verte de damnés. En titubant je me plaçai devant Silvia, réussis à parer un coup qui m'arrivait sur la poitrine, et — comment riposter ? — reçus une ruade entre les cuisses, mais je restai debout, la bouche pleine de sang, fou de douleur, la respiration presque bloquée mais debout, bon Dieu ! debout ! lucide malgré tout, à force de haine, de désespoir ! Et je pus une seconde fois plonger dans ses jambes, le retenir, agrippé à lui férocement, comme un noyé. Et il se débattait, cognait sans répit, et Silvia toujours là, hypnotisée, terrifiée, sans que j'eusse assez de souffle pour lui crier de fuir !

Je crois que ce fut le jeune homme au pullover blanc qui me délivra, qui nous sauva Silvia et moi, en abattant le pied d'un guéridon brisé sur l'échine de mon gorille. Je vis reculer l'Australien, les épaules pliées en arrière, la bouche immensément ouverte pour un cri muet ! Maniée à la volée, la masse de fonte lui écrasa ensuite une épaule. Cette fois, il hurla, les genoux fléchis, les mains croisées devant le visage, dans un geste instinctif de protection. Deux de ses camarades le tirèrent, le traînèrent par la ceinture, tandis qu'il réclamait à pleine voix une arme, hurlait hystériquement qu'il allait tous nous massacrer, nous injuriait jusqu'au sommet de l'escalier, où sans cesser de se débattre, il nous traita de lâches, d'ignobles lâches ! Mais déjà se rapprochaient les sifflets des M.P. Quelqu'un cria :

« *Hurry up !* Dépêchez-vous ! »

J'avais un genou à terre et j'étais certain d'avoir le ventre ouvert. Un froid étrange me traversait de part en part, me glaçait tout entier. Je crois qu'on me transporta dans un appartement voisin, qu'on me fit boire de l'alcool et que je me suis mis à vomir. Je crois que je demandai à partir, que j'exigeai de partir tant j'étais sûr que j'allais mourir et que je ne devais pas mourir devant tous ces regards. Je crois que je marchai au bras de Silvia, que je marchai ou que je glissai au ras du sol sans que mes pieds touchent les dalles de la rue. mais était-ce Silvia qui m'accompagnait ? oui, c'était Silvia et elle m'encourageait à tenir, à avancer, à résister, alors que mon corps fondait peu à peu, que mon esprit lui-même se diluait, que la terre se dérobait sous mon poids. dans la répugnante clarté du Vésuve, dans cette clarté qui teignait de sang les murs, la chaussée, le fronton des immeubles et jusqu'au visage de Silvia, tout près du mien, Silvia sauvée ! Ah ! miracle qui me faisait sourire et je voyais bien que ses lèvres bougeaient et peut-être n'étaient-ce pas des encouragements qu'elle me disait mais l'annonce formelle de ma mort et qu'importait ma mort si nous avions échappé au désastre, si nous avions évité la nuit sans fond, je ne sais quel malheur sale, désespérant. irrémédiable !

Et puis il y eut cette odeur fauve dans l'escalier, ces aboiements diaboliques des chiens, en bas, dans le puits de la cour et peu après cette porte ouverte sur des ténèbres d'éternité.

[illegible]

[illegible]

[illegible] corps ; les mêmes lueurs [illegible]
[illegible] des [illegible]
roses ou blanc moucheté, [illegible]
nes. —

Je dégageai mes bras, me passai les mains sur le visage. J'étais seul, couché sur un grand lit dans une chambre inconnue. [illegible] douleur me mordit à la hanche et au ventre. Un vrai coup de mâchoire, rapide, cruel. J'aspirai vite de l'air qui siffla entre mes dents serrées. Et nerveusement, j'arrachai la couverture et le drap, examinai ma blessure. Elle était plus laide que jamais, ouverte à la garde du « cimeterre » qu'elle dessinait. Du bout des doigts je palpai la chair meurtrie, les lèvres de la plaie nouvelle.

Rien de grave, cependant. Je compris qu'on m'avait soigné et que je venais de détacher le pansement. Je portais encore mon pantalon et ma chemise. Ma veste pendait au dos d'une chaise. Sur une table, un verre, des boîtes et des tubes pharmaceutiques... Je criai : « Silvia ! » Rien ne répondit. J'écoutai, les yeux fixés sur les épais rideaux qui cachaient la fenêtre et je décidai de me lever. Je le fis en surveillant mes mouvements pour ne pas exaspérer ce petit animal hargneux qui me plantait ses dents aiguës au creux du ventre. A petits pas d'infirme, je marchai vers la fenêtre. Vitres cassées. Par les interstices des persiennes, je vis le ciel blême au-dessus des toits. Je regardai ma montre. Le verre en était fendu mais elle marchait, marquait dix heures. J'allai à l'une des portes de la chambre, près du lit. Elle ouvrait sur une pièce absolument vide dont la cloison du fond était crevée. Au-delà, je distinguai des palissades, des poutres et des étais, comme l'envers d'un décor de théâtre. Il flottait une odeur triste de plâtre et de bois mouillés. En face de la fenêtre, une autre porte me conduisit dans un vestibule glacé. Salle de bain à gauche, cuisine aux murs carrelés de blanc, puis une salle au plafond troué en V par où l'on voyait le plafond de l'étage supérieur. Des planches remplaçaient les persiennes arrachées. Ensuite, le vide et un amas de décombres, hérissé de fers et de tubulures.

Je frissonnai car j'étais peu vêtu et un souffle frais traversait l'appartement dévasté. Je retournai donc sur mes pas, me laissai tomber sur un fauteuil, devant le feu, un peu étourdi par cet effort. J'entendis alors qu'on marchait sur le palier. J'espérais Silvia et me levai pour l'accueillir. Ce fut une vieille femme qui entra, vêtue d'une sévère robe noire, l'œil terne et l'expression niaise. Elle m'apportait du café et du pain avec un peu de marmelade de prunes. Je demandai où était Silvia et elle me répondit que *la signorina* était à la librairie. J'appris que toutes deux m'avaient veillé durant la nuit et qu'aux premières heures du matin, Silvia s'était reposée un peu dans le logement du dessous. Elle, Ottavia, la concierge, possédait les clefs de toutes les demeures, « du moins, ajouta-t-elle, de ce qui en restait ».

« Vous n'avez pas grand-chose, monsieur. Gardez encore le lit. Tout ira bien. »

Elle jeta une bûche dans la cheminée et m'indiqua la réserve de bois dans un coin de la cuisine. Au moment de repartir, l'idiote me conseilla de prier saint Antoine de Padoue qui m'avait évité le pire. Elle-même avait allumé un cierge devant sa statue pour qu'il maintînt sur moi ses bontés. Je la remerciai et lui offris une poignée de lires qu'elle accepta sans un mot.

Resté seul, j'avalai rapidement le déjeuner de la vieille et le complétai avec quelques provisions que je trouvai dans la cuisine, car mon appétit s'était brusquement réveillé. Sans scrupule, je vidai aussi un demi-pot de confiture et me sentis mieux. Ensuite, je repris mon exploration. Dans un large placard qui tenait tout le mur du fond à gauche du lit, je découvris des robes pendues à des cintres. Des robes de Silvia. Elles évoquaient son corps avec une telle force suggestive que j'en décrochai une, la regardai avec émotion, la plaquai contre moi, repris malgré mon écrasante fatigue par une passion dure et triomphante. Précautionneusement, j'étalai la robe sur le lit, une robe bleue, serrée à la taille, la jupe évasée, les manches longues, et je restai un moment à la contempler puis je la remis en place et, cette fois, embrassai toutes les robes du placard, frottai mon visage contre les étoffes, les caressai ou les froissai dans mes poings, pénétré par ce parfum jeune et doux qui était le parfum de Silvia et le parfum même de mon amour.

Je refermai le placard, retournai à mon fauteuil en me massant la hanche. Je pensais à l'Australien, sans haine, mais avec un sentiment de dégoût. Le feu répandait une chaleur vive qui semblait me soulager, me délivrer du poids de ma terrible courbature. Je ne savais que faire, je me demandai à quelle heure Silvia rentrerait. Dans une glace, je vis mon visage à peine marqué, rien qu'une ecchymose au sommet de la pommette droite. Je me tâtai longuement la joue, la mâchoire, l'épaule et, après cette inspection, je convins que somme toute je m'en étais tiré aux moindres frais.

Quant au coup qui avait écorché ma blessure, je n'éprouvais aucune inquiétude sérieuse et je me dis que si la douleur persistait au-delà d'un délai raisonnable, j'aurais toujours la ressource d'aller à l'hôpital me faire examiner.

Je sortis sur le palier en me reprochant de ne pas avoir retenu la concierge, de ne pas l'avoir davantage questionnée. Pour sotte qu'elle fût, elle aurait pu me fournir quelques renseignements sur Silvia, sur la vie qu'elle menait dans cet immeuble à demi ruiné. D'où je me trouvais, on avait vue sur la cour. J'aperçus en bas une douzaine de chiens qui rôdaient le long des garages tandis que des chats s'étaient juchés sur les décombres. On avait barré la brèche par des grillages compliqués. J'aime les chats et je passai quelques minutes à observer un Abyssin d'allure royale allongé sur une large plaque de ciment armé. Il y avait dans sa pose quelque chose de féminin qui me séduisit. Au-dessus de la muraille mitoyenne, crevassée par l'explosion, une teinte sulfureuse colorait le ventre des nuages et je pensai au Vésuve.

De nouveau la chambre.

Je tentai de lire, feuilletai quelques volumes, m'intéressai à une histoire de Venise illustrée de fines gravures et, finalement, regagnai le lit pour m'assoupir.

LORSQUE du fond de mon sommeil j'entendis le claquement de la serrure, je me soulevai sur un coude. Etait-ce Silvia ? Ou de nouveau la vieille ? Vite, je regardai ma montre : six heures dix ! Je sentis la brûlure du sang sous la chair de mon visage. Et Silvia parut, souriante. Lentement, elle repoussa la porte derrière elle, s'appuya un instant au panneau, m'observa ainsi, sans bouger. Je murmurai :

« Ah ! enfin ! C'est vous... »

Elle jeta sur la table des paquets qu'elle tenait et, sans hâte, avec une lenteur qui me sembla étrange, elle vint s'asseoir près de moi.

« Comment vous sentez-vous ? » dit-elle sans cesser de sourire de cette manière douce et vaguement railleuse.

Au lieu de lui répondre tout de suite, je lui pris la main, qu'elle m'abandonna, et la baisai sur chacun des doigts, sur la paume, sur le poignet, là où des veines tissaient leurs fins entrelacs sous la peau, et Silvia me laissait la caresser, l'air rêveur, comme si ma ferveur la touchait enfin, atteignait une région de son cœur qu'elle-même méconnaissait.

Je dis ensuite que je me sentais relativement bien, que je ne souffrais guère et la remerciai de ses soins. Je lui parlai brièvement de la visite d'Ottavia en lui tenant toujours la main et elle était assise de biais, au bord du lit, une jambe pendante, obligée dans cette pose de maintenir le buste légèrement penché sur moi.

« Je vous ai fait absorber un sédatif d'origine allemande que ma tante ne cesse de vanter », dit-elle.

Elle me montra l'un des tubes sur la table.

« Il faudra en prendre encore. »

Il me semblait constater en elle une liberté nouvelle à mon égard et je me félicitai de cet apprivoisement. Je dis à voix basse :

« Je devais avoir piètre allure hier soir ! »

Elle me répondit en chuchotant elle aussi, comme si, dans cette chambre où nous étions seuls, nous nous communiquions d'importants et décisifs secrets.

« Ne parlons plus jamais d'hier soir.

— Comme vous voudrez.

— Mais quand j'ai vu votre blessure, Dieu, que j'ai eu peur ! »

Elle mit sa main libre sur les lèvres pour mieux marquer combien vive avait été son émotion.

« Un mauvais coup, dis-je. Heureusement sans conséquences.

— Je l'espère.

— Et pour me conduire jusqu'ici ? J'ai dû vous donner du mal ?

— Non. Ma maison était très proche. De toute façon, j'ignorais votre adresse...

— C'est vrai. Personne ne vous a aidée ?

— Jusqu'à l'escalier, vous avez marché. Ensuite, j'ai dû appeler la concierge.

— Brave femme. Pas très intelligente mais dévouée.

— Elle m'a été d'un grand secours pour vous coucher sur ce lit et vous soigner.

— Je la remercierai encore... »

Ici, le feu crépita, des étincelles jaillirent de la cheminée et je savais que des étincelles semblables éclataient dans mon sang, dans mes reins. Ce dialogue n'avait aucun sens mais je souhaitais le prolonger surtout pour maintenir cette situation, cette entente entre Silvia et moi.

« Comment s'est terminée l'affaire de cette nuit pour les autres ?

— Cinq jeunes filles enlevées, dit-elle.

— Sont-elles délivrées à présent ?

— Oui, depuis neuf heures, ce matin. »

Ton neutre pour ces deux répliques. Ni apitoiement ni rancœur. Je comprenais qu'elle écoutait quelque voix à l'intérieur d'elle-même, je le devinais au détachement de ses deux réponses, à la fixité de son regard, à ce sourire à fleur de lèvres, léger et enfantin, et cependant d'une fine sensualité. Je continuai mais d'une voix encore plus sourde, ma bouche près de son visage éclairé par les seules flammes de la cheminée, car la nuit tombait et nous n'avions pas allumé.

« La salle de bal est définitivement fermée sans doute ? »

Au vrai, qu'elle fût fermée ou non, cela m'importait peu mais j'écoutai avec attention la voix de Silvia.

« Oui, je viens de voir sur la porte le panneau d'interdiction. »

Elle avait tourné vers moi son visage, un peu pâle, où les yeux brillaient.

« Vous devez être très lasse ?

— Ottavia est restée avec moi pour guetter vos réactions.

— Quelles réactions ?

— Vous ne cessiez de vous plaindre. J'ai failli appeler un médecin.

— Comment l'appeler après le couvre-feu ?

— Par téléphone. Ottavia possède les clefs de tous les appartements. Ceux du deuxième étage ont relativement peu souffert.

— Et le médecin ?

— Tous les médecins de Naples ont un laissez-passer. »

Un silence. Dans la nuit, le Vésuve devait continuer à jeter feu et flammes, à répandre sa lave sur les campagnes terrorisées. Le monde me parut soudain immobile, prêt à s'ouvrir, à se fendre, à se disloquer si je n'agissais pas, si je ne secouais pas cette torpeur. Je pris l'autre main de Silvia, lentement. Elle n'opposa aucune résistance. Elle continuait à sourire mais cette fois de façon lointaine, qui fortifiait étrangement mon audace. Je l'avais attirée plus près de moi à présent, et je lui dis en italien des mots de ferveur et de désir et je sentais ses mains frémir comme si elle recevait jusqu'au fond de sa chair la chaleur de cette tendresse qui débordait de moi en fontaines brûlantes et bouillonnantes. Elle renversa soudain son visage. J'eus le temps de voir ses paupières fermées, son front lisse que les flammes faisaient briller et elle me rendit ensuite mon baiser avec un emportement maladroit et délicieux. Je l'avais déjà saisie par la taille, je la pressais contre mon corps, je devinais le sien tendu, tout vibrant, offert. D'un coup de reins je me retournai, me roulai sur elle tandis qu'elle murmurait mon nom et cet appel de sa jeune chair, cette plainte douce et amoureuse me grisait, me donnait l'illusion que la vie n'avait pas de limite, qu'elle se dilatait à l'infini. En ces quelques minutes éblouissantes, je fus certain que jamais, depuis les premiers jours du monde, aucun homme n'avait connu une joie comparable à la mienne, un bonheur aussi pur, aussi intense, qui étincelait au milieu de mon âme comme un diamant, comme une incorruptible étoile !

DEUXIEME PARTIE

DU couloir, la voix de Mme Ruggieri me parvenait qui disait à Joe :

« Je ne comprends pas, *signor* Cohen, pourquoi le *signor Lanndjerô* s'en va. Est-ce qu'il n'est pas content ? Est-ce que la maison ne lui plaît pas ou que je ne le sers pas bien ? Je fais pourtant de mon mieux... »

Et Joe de la taquiner :

« Ne vous tracassez pas, Mamma. Peut-être a-t-il découvert cette peinture au plafond de la salle de bain. Je dois vous confier qu'il est extrêmement pudibond et que tout ce qui a trait au péché de la chair l'horrifie.

— Oh ! non, non ! Ce n'est pas cela ! protesta la vieille dame.

— Non, ce n'est pas cela, Mamma. Je vais vous dire la triste vérité. Mon ami refuse de demeurer plus longtemps sous le même toit que des aviateurs américains.

— *Ma perché* ?

— Parce que c'est l'aviation américaine qui a démoli l'abbaye de Cassino, pur joyau de notre civilisation occidentale. Mon ami est passionné d'art. Son cœur saigne.

— Mais les *Tedeschi* avaient transformé l'abbaye en forteresse, *signor* Cohen ! Il faut comprendre ! C'était dans votre intérêt !

— Folie ! D'abord nous étions tous décidés à mourir avec une joie extatique pour Cassino. Ensuite, il n'y avait même pas un tire-boulette en batterie dans l'abbaye !

— Je ne peux pas mettre ces Américains à la porte ! Ils ont une réquisition régulière ! Et puis, ils sont très polis et très aimables !

— Ils le seraient davantage, Mamma, s'ils occupaient plus discrètement la salle de bain. Ils s'y installent comme dans une « Banana-republic » et bientôt ils nous en interdiront l'accès.

— Je ne le permettrai jamais, *signor* Cohen. Les Français aussi ont le droit de se laver !

— D'autant plus, Mamma, que ces Yankees savent très bien que nous sommes la première génération à oser le faire ! Il est criminel de vouloir nous décourager !

— Ne plaisantez pas, *signor* Cohen. Je leur dirai de ne pas accaparer la salle de bain.

— Profitez de l'occasion pour leur conseiller aussi de manier plus précautionneusement leurs bombes.

— Ils ne font pas assez attention, si c'est ce que vous voulez dire !

— A Venafro, ils ont balancé leur saloperie non sur les *Tedeschi* mais sur les copains !

— Oh ! par erreur, certainement par erreur, *signor* Cohen !

— Je l'espère, Mamma. Mais pour eux, *Tedeschi*, Polaks, Français ou Marocains, c'est tout pareil. Nous non plus ne distinguons pas entre Chinois et Japonais.

— Ce sont des enfants, *signor* Cohen, de véritables enfants !

— D'accord. Mais ce genre d'enfants manie des jouets assez dangereux. Comprenez par conséquent que mon ami Longereau devienne de plus en plus nerveux à les avoir pour voisins. »

Il la quitta, poussa la porte sans frapper et pénétra dans ma chambre en fumant un « cigarillo » qui dégageait une fumée nauséabonde.

« J'ai tout entendu, dis-je.

— J'ai hurlé assez fort !

— Pourquoi ne pas lui avoir expliqué la vérité ?

— Serge, si tu lui révèles que tu es amoureux, elle va croire qu'il s'agit d'une Napolitaine. Elle a de l'affection pour toi et te verra perdu. Elle gémira, se griffera la figure et alertera peut-être les M.P. On n'épouse pas une Napolitaine, Serge. On épouse une famille napolitaine. Et une famille napolitaine compte un effectif au moins égal à celui d'une division ! »

J'avais raconté à Joe comment pour défendre Silvia je m'étais battu avec un Australien, comment j'avais reçu un coup à l'endroit même de ma blessure, un coup à m'éventrer. Toujours pince-sans-rire, il avait loué mon esprit chevaleresque et blâmé mon manque de « punch ». Pour la suite, point n'était besoin de confidences et d'ailleurs, discret comme à l'ordinaire, il n'en avait pas demandé. Tout en continuant à préparer ma valise, je lui dis :

« Comment sais-tu que je vais épouser Silvia ?

— Parce que tu es fait d'un bois qui brûle sans même laisser de cendres. »

J'avais sur moi le regard sagace de ses yeux gris.

« Eh bien, oui, dis-je avec un certain emportement. Je ne lui ai rien proposé encore, mais je le ferai. »

Alors il prit un ton de récitation :

« A Naples, en mars de 1944, le lieutenant Serge Longereau, d'un glorieux régiment de tirailleurs algériens, a été capturé après avoir opposé une si faible résistance qu'on peut le soupçonner d'être passé délibérément à l'ennemi dont les charmes, il est vrai, sont incontestables ! »

— Joe ! Par pitié !

— J'ai dit : « in-con-tes-ta-bles » !

Puis il cessa de bouffonner, me donna une tape sur l'épaule :

« Ça va comme ça ! Je suis content pour toi. »

Il m'aida ensuite à rassembler mes dernières affaires et au moment de me quitter me rappela que le jour de la visite médicale approchait.

« Chanderli nous prêtera la Fiat. Rendez-vous à neuf heures à l'imprimerie. »

Il s'en alla et j'écoutai son pas dans le couloir. L'allusion à la visite médicale me ramenait brutalement dans un univers que j'avais oublié. J'avais oublié le temps, j'avais oublié la guerre mais le temps passait et la guerre m'attendait ! J'étais un prisonnier en liberté provisoire. Rien n'était gagné d'un étrange procès dont ma vie dépendait. J'étais riche, ô Silvia ! et tout me serait très vite retiré ! Je m'assis au bord du lit, révolté jusqu'à l'écœurement. C'est dans cette attitude que Mme Ruggieri me surprit. Elle s'était glissée dans la chambre, son vieux visage marqué par l'anxiété.

« Et voilà que vous partez », dit-elle, dolente.

Je me levai, je lui dis à voix basse :

« Je vais vivre les jours de permission qui me restent avec une femme que j'aime. »

Mais comment aurait-elle perçu la trouble émotion que contenait cette phrase ?

« Vous n'êtes pas fâché contre moi ?

— Pourquoi le serais-je ?

— Vous savez, vous êtes tous comme mes propres enfants.

— Je sais.

— Même les Américains.

— Ils le méritent autant que nous.

— Avec eux, le *signor* Cohen est parfois injuste.

— Il plaisante. »

Et soudain, alors que je me trouvais déjà sur le palier, ma valise à la main, elle ajouta ceci qui me bouleversa :

« *Siate felice !...* Soyez heureux ! »

Un instant, je regardai ses yeux usés, son sourire triste et je compris que ce vœu était bien, de tous, le plus difficile à réaliser et que dans les semaines à venir je connaîtrais peut-être le vrai visage du malheur.

Peineusement, je descendis l'escalier.

Dans la cour, des gamins jouaient à la petite guerre, embusqués avec leurs armes de bois derrière des caisses et des jarres de fleurs.

Je dus m'arrêter en bordure de la via Roma. Un convoi de camions remontait du port. Les dernières nouvelles donnaient les Soviétiques en pleine offensive. Le maréchal Koniev avançait sur Balti et le maréchal Tolboukine sur Sébastopol. Et nous aussi, en Italie, nous n'allions pas tarder à attaquer. Je laissai défiler les camions et leurs soldats casqués, debout, appuyés aux ridelles. Ils étaient très jeunes et ne souriaient pas.

JUSQU'AU jour où le drame se noua, je vécus avec Silvia d'inoubliables heures. Mais je vais rapporter les événements qui le précédèrent et qui, en quelque sorte, le préparèrent.

Au début de notre vie commune au cinquième étage de l'immeuble désert et à demi détruit, dans cette pièce épargnée que Silvia avait aménagée simplement mais avec goût, nous restions longtemps allongés l'un contre l'autre, tout alanguis après nos étreintes et même lorsque Silvia se levait, quittait le lit défait, ravagé par nos jeux amoureux, je ne me lassais pas de la suivre du regard, tandis qu'elle allait et venait, nue, à travers la chambre, souriant rêveusement, les yeux battus, le visage marqué d'un bonheur tendre, comme émerveillée par la découverte de ces mystères qui avaient transformé et sa chair et son cœur.

Nous nous faisions aussi d'interminables confidences, nous parlions de notre passé, avides de connaître cette vie qui s'était déroulée hors de notre passion et dont vaguement nous étions jaloux. Silvia évoquait son enfance à Milan et je la questionnais sans cesse, réclamant des précisions, comme pour reconstruire toute cette période qui m'avait échappé, dont je n'avais pas contrôlé le cours. Il nous semblait cependant que chaque minute de notre existence n'avait été qu'une sûre progression vers cette union, une marche convergente et assurée de nos destins. Elle en était plus convaincue que moi.

« Et si je n'avais pas accepté les billets de mon ami pour le San Carlo ? Si M. Varella s'était trouvé dans la librairie ? »

Elle riait :

« Une autre circonstance nous aurait rapprochés. »

Elle réfutait les effets du hasard dans un cas comme le nôtre. L'amour, à ses yeux, était une profonde « exaltation de l'âme », pour qu'il ne procédât pas d'une volonté supérieure. C'est qu'elle croyait en Dieu et en parlait avec une humilité et une pudeur délicates. Et moi de lui reprocher malicieusement de commettre le péché de la chair sans retenue ni remords.

Nous ne sortions même pas pour nous rendre au restaurant. Ottavia nous faisait le marché et je descendais dans sa loge chercher les provisions. J'avais acheté la discrétion de la vieille avec un bon paquet de lires. La loge était encombrée de mille objets hétéroclites confiés par les riches locataires qui avaient quitté le quartier pour la campagne en attendant des jours meilleurs.

Deux ou trois fois, Silvia alla voir sa tante et prétexta auprès d'elle un travail urgent et minutieux pour excuser son manque d'assiduité. De la même manière, elle prévint M. Varella par téléphone que l'état de santé de sa tante la tiendrait éloignée quelques jours encore de la librairie. Et je la félicitai, avec une fausse aigreur, pour cette aisance à mentir dont je me prétendais hautement alarmé.

Un feu continu flambait dans notre cheminée et je puisais sans vergogne dans les réserves de bois que je trouvais dans les appartements abandonnés.

Le Vésuve ne s'était pas encore calmé et, la nuit venue, lorsque je sortais pour ma provision de bûches, sa lueur tragique éclairait la cour et les amas de décombres.

Nous ne lisions plus les journaux, nous ne parlions jamais de la guerre, trop préoccupés de nous-mêmes. Ce monde de fureur, de misère et de haine qui grondait au-dehors et nous assiégeait, battait en vain notre refuge. Nous l'ignorions, et il tournait autour de nous comme la ronde des étoiles et des planètes.

Mais parce que de longues marches m'étaient nécessaires pour éviter l'ankylose de ma hanche, nous reprîmes finalement nos promenades du soir. Nous visitâmes les vieux quartiers populaires et découvrîmes de belles madones polychromes à certains carrefours, dans des niches vitrées ou grillagées, ornées de fleurs et de bougies. Et toujours, dans des maisons pourrissantes, des regards de dénuement et de détresse nous épiaient et nous serraient le cœur.

Chaque fois que nous entrions dans une église, Silvia se signait, et sans l'imiter jamais, je l'observais, et son visage prenait une expression grave et concentrée.

Silvia connaissait bien tous les souvenirs de la Naples angevine, aragonaise et bourbonienne. Elle aimait, en particulier, le baroque napolitain parce qu'il lui paraissait intimement accordé à ce peuple exubérant, épris de grâces vulgaires, sensible aux gestes emphatiques, aux attitudes outrées, mais capable d'exaltation, d'enthousiasme, de générosité. J'étais souvent choqué par le mauvais goût de certains tombeaux. Dieu que les gens avaient une étrange idée de la mort !

« Les Napolitains ont horreur de la mort ! s'écriait Silvia. Ils estiment que la vie, même difficile et traversée d'orages, vaut mieux qu'une éternité dans la perfection mais sans les plaisirs des sens !

— Sur ce point, ils ont raison », disais-je.

Et une fois hors du sanctuaire, j'embrassais Silvia. Je ne me rassasiais pas d'elle. Je m'arrêtais dès que nous étions isolés, je la prenais contre moi, lui baisais la bouche, le front, les cheveux avec passion. Un soir elle me dit, dans un moment de griserie :

« Tu peux faire de moi ce que tu veux...

— Tu ne regrettes rien ?

— Oui. Les jours perdus... »

Et elle souriait, et dans l'ombre ses yeux avaient un éclat fiévreux et fascinant.

Elle était plus romanesque que je ne l'aurais cru et tint à me montrer, dans l'église San Lorenzo, la colonne de marbre d'où Boccace vit pour la première fois Marie d'Aquino et devint amoureux d'elle jusqu'à la mort.

Mais, à San Severo, c'est moi qui l'entraînai devant la fameuse statue de la Pudeur, sur le tombeau de Cecilia Gaetani. C'était une statue de femme entièrement voilée et tenant des roses dans une pose affectée. Or, le voile qui la recouvrait de la tête aux pieds, collait à son corps jusqu'à en révéler les formes avec plus de vérité suggestive que si elle était nue. Cette curieuse statue excita ma verve, et Silvia me regarda d'un air amusé et surpris.

Le dimanche, l'idée nous vint de retourner au Vésuve.

Avec sa bonne grâce coutumière, Chanderli nous prêta la Fiat. Le volcan fumait abondamment, mais la coulée de lave me parut moins importante. Partout la campagne était recouverte d'une épaisse couche de cendre, comme une neige étrange, si triste et si terne que le soleil n'en tirait aucun éclat. Les arbres eux-mêmes en étaient enveloppés de telle manière qu'ils ressemblaient à de bizarres excroissances minérales.

Je laissai la voiture sur le bas-côté de l'autostrade et par les chemins creux, Silvia et moi parvînmes aux abords de San Geronimo, l'un des villages les plus dévastés. La masse de lave l'avait largement dépassé et formait une carapace haute d'un demi-étage, encore chaude, grise et noire, piquetée d'admirables floraisons de soufre, en petites grappes, en coques, en étoiles.

Des gamins, grimpés sur le magma qui s'écoulait à présent à la vitesse de deux mètres à l'heure, creusaient la surface à l'aide de tiges de fer, cherchaient des nids de feu, découvraient des foyers d'un rouge somptueux, de minuscules cavernes ardentes comme des soupiraux ouverts sur l'enfer. Il s'en dégageait une chaleur insupportable mais les enfants s'accroupissaient autour, les mains tendues, se chauffaient en mimant la plus parfaite volupté. Sur la campagne désolée courait un vent glacé. Là où des vignes et des vergers s'étendaient hier, régnait désormais une sinistre couche de scories où brillaient encore des yeux rouges.

Nous avions rejoint les gamins qui riaient à voir Silvia peiner sur ses talons et s'écarter des puits de braises. Plus haut, nous dirent-ils, la lave était encore trop vive et on pouvait à peine en approcher. Ils recueillaient dans des sacs de toile le soufre dont les fleurs d'un jaune lumineux ornaient les lèvres des minuscules cratères.

Le caoutchouc de mes brodequins américains commençait à s'échauffer, ce qui me contraignit à une danse d'ours que j'exagérais pour amuser nos jeunes compagnons.

L'église du village avait été épargnée. « Miraculeusement », affirmaient les paysans. Au vrai, c'est qu'elle était bâtie sur un éperon rocheux que la coulée de lave n'avait pas submergé.

Du village lui-même il subsistait peu de chose, mais l'étage d'une maison, délicatement emporté par le magma, demeurait intact, coupé du rez-de-chaussée englouti dont il ne restait qu'une enseigne de boulanger. Le toit avait fini par s'effondrer au bout de quatre cents mètres de cette promenade et les fenêtres crevées encadraient les pentes fumantes du Vésuve.

Nous retournâmes sur le chemin pour monter vers une ferme, sauvée du désastre. La coulée avait longé les murs d'enceinte, mais c'était désormais une ferme sans terre, inutile et aussi insolite avec ses charrues et ses installations qu'un navire au milieu du désert.

Les paysans allaient et venaient dans la cour, lentement, d'une allure accablée. Trois eucalyptus, plantés près du bâtiment central, agitaient leurs feuilles roussies. Sous les hangars, des sulfateuses et des futailles s'entassaient en désordre. Mais dans ce silence pénible éclataient les cris des gamins ou le chant glorieux d'un coq, comme un défi au malheur.

Nous redescendîmes sur l'autostrade. Vers l'est, l'énorme rouleau de fumée se tordait furieusement, que le vent inclinait jusqu'à la mer. Le muet désespoir des fermiers semblait avoir beaucoup ému Silvia qui marchait près de moi, appuyée à mon bras, sans dire un mot.

C'est au retour que, pour éviter un convoi militaire, je m'égarai dans la banlieue de Naples. Je me retrouvai non loin du stade Partenopeo et, finalement, je demandai mon chemin à un homme qui piochait une plate-bande dans un étroit jardin. Je l'observai par-dessus la murette, surpris par son regard affolé. Subitement, il partit en direction de la maison, appela d'une voix rauque. Une femme surgit, jeune, vive et brune. Elle avança dans l'allée jusqu'à la grille. Je répétai ma question, mais sans quitter des yeux la porte par où l'homme avait disparu. Je le devinais aux aguets derrière les vitres dont les rideaux bougeaient.

La femme était plus âgée que Silvia, vingt-six à vingt-huit ans. Elle me renseigna en m'accablant de détails : tourner ici, longer les halles, tourner en face de la brasserie Peroni, ensuite la gare, la Piazza Garibaldi et le Corso Umberto... Cette volubilité cachait un malaise. Lorsque je remontai dans la Fiat, que je remis le moteur en marche, je vis l'homme reparaître sur le perron, frottant ses grosses mains sur sa chemise militaire.

« De quoi ces pauvres gens avaient-ils peur ?» demanda Silvia.

J'avais retenu l'accent avec lequel il avait appelé la jeune femme et ses coups d'œil à mon uniforme.

« Probablement un déserteur allemand, dis-je.

— Un déserteur ? »

Il en était resté plus d'un millier à Naples au moment de la retraite, et pas seulement des Autrichiens ou des Tchèques enrôlés de force, ou des antinazis. J'expliquai à Silvia que la police italienne et la police militaire alliée se préoccupaient de ces hommes, mais qu'ils étaient difficiles à débusquer dans une ville comme Naples où, dans la majorité des cas, ils avaient trouvé asile chez leurs maîtresses. Et ils pouvaient compter sur la discrétion du petit peuple napolitain, indulgent à tous les excès de l'individualisme et surtout de la passion amoureuse.

CETTE promenade m'a toujours paru à l'origine de la crise dont je vais parler.

Afin d'endormir la méfiance des siens, Silvia leur avait affirmé incidemment que j'étais déjà reparti pour le front. Pour les mêmes raisons, elle avait dû reprendre son travail chez Varella.

Toujours pour donner le change et ne pas éveiller de soupçons, Silvia allait souvent dîner chez les Massini, tandis que de mon côté je retournais soit au mess de la via Baracca, soit à celui installé dans le restaurant Giacomino, derrière le Palazzo reale.

Un soir que j'achevais mon repas en compagnie de Chanderli, les sirènes mugirent. Soucieux de ne pas se trouver bloqué là par l'alerte, Chanderli décida de rejoindre immédiatement l'imprimerie. Je le laissai partir. Un moment plus tard, les avions ronflèrent juste au-dessus de la ville, et je sortis à mon tour. Dans les froides ténèbres du ciel, les projecteurs les cherchaient tandis que giclaient les étincelles roses, orange et rouges des balles traceuses.

Dans l'obscurité, des gens couraient en criant. Je traversai la rue et une jeep me frôla. Mais je pensais à Silvia et je voulais remonter jusqu'à la maison des Massini pour l'attendre sous le porche. L'artillerie antiaérienne tonnait dans un roulement précipité qui, cependant, ne pouvait couvrir le fracas des bombes. Du côté du Pausilippe, je vis soudain éclater une gigantesque rose de feu.

A présent, les rues s'étaient vidées. J'entendais parfois le coup de sifflet strident d'un milicien de la défense passive. Je marchais vite le long des murs, pour éviter d'être touché par les éclats de mitraille qui retombaient sur la chaussée en tintant. Je m'arrêtai un instant pour prendre haleine, ramassai un fragment d'obus de D.C.A., tout chaud encore, et qui venait de rebondir sur le trottoir avec un petit sifflement de serpent furieux. J'étais inquiet au sujet de Silvia et, tout haletant, je regardai les projecteurs qui fouillaient le ciel de leurs longues antennes. (Elles se déplaçaient lentement, précautionneusement ou par saccades nerveuses.) Deux projecteurs prirent en cisaille un corps blanc qui errait à travers l'espace, révélèrent un ventre allongé, de courtes nageoires : Junker 88. Soudain, il parut déraper, glissa sur le côté gauche et plongea ensuite dans une chute accélérée en laissant derrière lui se dérouler ses entrailles phosphorescentes. Cette vision, je l'avoue, m'émut à peine.

Pour aller chez les Massini, mon chemin passait devant la maison de Silvia. Peut-être Silvia était-elle rentrée dès le début de l'alerte ? J'eus l'idée de m'arrêter pour interroger Ottavia. Stupeur : le porche était ouvert. Une large bande de lumière atteignait presque la chaussée. J'entrai en criant :

« Mais vous êtes folle ! »

Dans la loge, je vis Ottavia assise sur une chaise à haut dossier, le buste droit, les yeux hagards. Je repoussai brutalement la porte, tirai les rideaux devant la fenêtre.

« Est-ce que la signorina est revenue ? » demandai-je, penché sur la vieille.

Elle fit non d'un signe de la main. Son visage avait une expression d'entêtement obtus, sénile.

« Pourquoi restez-vous ici ? Pourquoi ne descendez-vous pas à la cave ? »

Cette fois elle ne répondit même pas mais ses petits yeux jaunes m'épiaient avec intensité.

Alors je remarquai les malles et les coffres ouverts et, jetés partout, sur la table, les fauteuils, toute une profusion de robes, d'écharpes, de manteaux et de fourrures. La vieille avait sorti les trésors des garde-robes que lui avaient confiées les locataires des étages abandonnés. Je ne comprenais pas les raisons d'un pareil étalage. De nouveau, je conseillai à la vieille de rejoindre le sous-sol. Les bombes explosaient du côté du port et faisaient gémir les vitres. Je proposai d'éteindre la lampe. Ottavia refusa de rester dans le noir, comme elle refusait d'abandonner sa loge.

L'épaule appuyée à la porte, je fumais en observant la vieille, immobile sur sa chaise, les mains appuyées sur les cuisses. Peut-être ne songeait-elle qu'à protéger ces luxueux vêtements qui ne lui appartenaient même pas. Ah ! l'idiote ! Comme je lui posai la question, elle remua faiblement, me regarda, lissa une mèche grise sur sa tempe et je m'aperçus alors que sous son ample peignoir elle portait une robe de brocart, dont la jupe formait des plis lourds, et une sorte de guimpe à broderies bleues, d'un bleu tendre pour jeunes filles.

Que signifiait cette mascarade ?

Je fis quelques pas à travers la pièce, sans cesser de fumer nerveusement. Tous ces amas d'étoffes, autour de nous, semblaient atténuer un peu le tintamarre qui continuait au-dehors. Il flottait dans l'air un parfum sucré. Un grand crucifix d'ébène brillait sur un mur, orné également d'un portrait d'enfant, en costume 1900, col marin et culottes serrées aux genoux. Je caressai du bout des doigts une robe de satin, une charmante robe de soirée qui devait appartenir à une femme jeune et de taille élancée. Où était Silvia, à cette heure ? J'étais repris par mon inquiétude. La rejoindre dans l'abri de l'immeuble des Massini présentait un danger : celui de rencontrer l'oncle qui comprendrait tout. Donc, rester. Mais attendre près de cette folle qui marmonnait à présent des prières ? Qui balançait stupidement le buste d'avant en arrière, à me donner envie de la gifler ? Je la voyais de dos et il me sembla qu'elle devait avoir revêtu trois ou quatre robes les unes par-dessus les autres. Je revins devant elle, l'interrogeai :

« Vous avez très froid, sans doute ? »

Les rides autour de ses yeux fripés formaient comme une fine collerette, lui faisaient des yeux de chouette.

« C'est affreux, ces gens tués par les bombes, dit-elle, et la lumière parut trembler doucement avec sa voix.

— Est-ce que vous avez froid ? Je peux vous allumer du feu.

— Non, non... »

Elle prit une mine entendue, lissa de nouveau ses cheveux et montra la guimpe si gracieuse que j'avais admirée.

« J'ai vu des voisines. Des femmes, vous savez ?

— Eh bien ?

— Les bombes les avaient dévêtues... »

Elle joignit les mains, tendit vers moi son visage comme si elle voulait me faire admettre l'énormité du scandale.

« Elles étaient mortes... Et toutes nues, monsieur !

— Ah ! c'est cela !

— Je les ai vues !... Toutes nues ! Je vous le jure, monsieur ! »

Et d'un geste rapide, elle referma étroitement le col de son peignoir. Je la laissai, retournai près des coffres. Elle m'agaçait et j'avais failli lui répliquer : « Mais les morts vont toujours nus, *cara mia !* »

Je me souviens que j'avais décidé de me diriger vers la maison des Massini, car cette attente me devenait insupportable. Je me souviens aussi que je m'étais accordé jusqu'à la fin de ma cigarette. Subitement, la pièce trembla, les tableaux, le crucifix se balancèrent légèrement sur les murs. Terrifiée, la vieille s'était redressée, la bouche grande ouverte ! On aurait dit qu'une main maligne lui avait enfoncé un dard par-dessous la chaise. Le fracas de la déflagration se répercuta par les rues sonores. La bombe n'était pas tombée loin. La seule pensée qu'elle avait pu atteindre Silvia me laissa incapable de bouger. J'entendais à présent l'écroulement des gravats puis un chuintement prolongé qui perçait le vacarme de l'artillerie. Dans les garages, les chiens gémissaient. (Ottavia les enfermait pour la nuit.) L'un d'entre eux hurla de façon désespérée, sinistre ! Je sortis en hâte, passai sous le porche. Où aller ? Les fragments d'obus de la D.C.A. continuaient à pleuvoir. Un seul de ces éclats, par le seul effet de la chute et de l'accélération, pouvait tuer. Mais je ne m'arrêtai même pas à cette idée. Je courus jusqu'au carrefour et aperçus alors le nuage de poussière qui s'étalait lentement. Le Vésuve s'était calmé et sa lueur n'éclairait plus la ville. Ce qui colorait ainsi la poussière, c'était l'incendie dont les flammes m'étaient cachées.

Je dois le dire ici, sans vraie ni fausse honte : je fus comme soulagé. La maison des Massini se trouvait dans l'autre direction. Je levai les yeux vers le ciel qui vibrait toujours comme une tôle martelée. Les balles traceuses et les bouquets rouges de la D.C.A. fleurissaient cette nuit d'avril. Entre les hauts immeubles s'ouvrait un trou énorme. Des pierres roulaient encore sur les décombres et des poutres brûlaient au fond, toutes droites, leurs flammes tourmentées par le vent. La poussière se rabattait lentement en nappes ondulantes, et des silhouettes allaient et venaient, sautillaient grotesquement dans cette brume. Le feu mordait une longue cloison de bois éclatée. Des malheureux devaient se trouver pris sous cette carapace de moellons et de gravats. Il fallait agir. J'entendis la sirène des pompiers et je m'avançai pour réclamer une pelle. De la voiture rouge sortaient des hommes à veste de cuir, agiles et vifs. Leur chef regarda le désastre. Là-dessous, ils étaient tous morts à l'heure qu'il était. Peut-être pourrait-on atteindre la cave de l'immeuble détruit par les sous-sols des maisons voisines. Déjà on sondait les failles, des ombres se glissaient entre les fragments de murs, dans la clarté blême créée par les flammèches. Je dis au chef :

« Disposez de moi entièrement. »

Il secoua la tête. Il connaissait ce genre de maison. Trop vieille. Les voûtes, en dessous, n'avaient pas dû résister à un choc de cette puissance. De toute façon, pour atteindre l'abri avec un matériel aussi réduit...

« On fera ce qu'on pourra », dit-il.

Il me pria de demeurer là et s'en fut donner des ordres. Des pompiers frappaient à la hache des poutres enflammées, en faisaient jaillir des gerbes d'étincelles. D'autres se faufilaient avec souplesse dans les trous qu'ils découvraient et leurs lampes sourdes disparaissaient alors, qu'ils portaient attachées au casque comme le font les mineurs. Et moi, j'attendais de les voir reparaître. J'attendais avec, dans la gorge, une émotion crispée. J'avais l'espoir d'une conclusion miraculeuse. Peut-être les personnes ensevelies allaient-elles remonter à l'air libre à la suite de leur sauveteur en veste de cuir noir. Peut-être viendraient-elles saluer sur cette scène barbare en pleurant de joie, comme les acteurs, à la fin d'une tragédie de théâtre, saluent en souriant à travers leur émotion encore présente. La sirène de fin d'alerte retentit. Là-haut le ciel brillait et frissonnait comme un fleuve dans sa lente et paisible coulée.

Alors, un des pompiers apparut avec un corps dans les bras, le corps d'une fillette de dix ou douze ans. Le chef m'appela :

« *Francese !* A vous ! Par ici ! »

Je m'élançai, recueillis le petit cadavre tandis que l'homme s'enfonçait de nouveau dans la terre. Le feu de sa lampe m'avait blessé les yeux. Je redescendis vers la chaussée, déposai l'enfant contre la façade d'en face, toute criblée d'éclats. Je me détournai de ce visage écrasé, de ces jambes disloquées.

« Par ici, par ici ! » criait le chef.

On alignait un autre corps, celui d'une femme, près du premier. C'était une femme d'une soixantaine d'années, la poitrine et l'épaule gauche broyées de façon hideuse. Un œil pendait sur la joue, l'autre — immense — me regardait avec horreur.

Je retournai vers le puits d'où l'on remontait les victimes.

« Tous morts », me dit quelqu'un au passage.

Je transportai un gamin aux reins cassés, tordu sur lui-même, le tronc presque entièrement retourné sur le bassin. Il saignait de la tête et me couvrit la veste de sang. Des M.P. étaient accourus, des Anglais, costauds et actifs. L'un d'entre eux jeta des couvertures sur les cadavres. Ensuite il se signa.

Je reprenais haleine lorsqu'un homme surgit en hurlant des derniers rideaux de poussière qui obstruaient la rue. Le chef me le désigna :

« A vous ! Empêchez-le !... »

J'obéis à la seconde, m'efforçai de barrer le passage à ce garçon vêtu d'un bleu d'ouvrier. Une expression démente lui ravageait le visage dont je voyais les yeux énormes, tout blancs. Il criait :

« Anita ! Roberto ! Ah ! »

Je l'avais pris aux poignets mais il se débattit, m'injuria :

« *Canaglia ! Canaglia ! Tutti ! Alleati ! Tedeschi ! Italiani ! Tutti !* »

Il finit par se libérer et sauta sur le premier talus formé par l'avalanche de décombres, se précipita entre les blocs, les bras écartés, sans cesser de hurler son désespoir. Je l'avais suivi, mais il continuait à grimper, faisait des bonds insensés, comme un grand singe noir pris de fureur. Je le rattrapai, tentai de le ramener dans la rue. Alors il me frappa des deux poings. Je me laissai frapper. Le coup qui m'atteignit en pleine face me fit saigner du nez, mais je ne réagis pas. Je cherchais seulement à lui prendre les bras, ou à le ceinturer.

Il recommença à crier follement : « *Canaglia ! Canaglia !* » En bas, le chef dut me voir en difficulté. Il m'envoya un des Anglais. Le M.P. maîtrisa le malheureux qui se mit soudain à sangloter, subitement vidé de ses forces. Il s'abandonna enfin.

Je ne pouvais rien pour lui et je ressentis cette impuissance jusqu'à la nausée. L'homme suivit le M.P. avec une docilité douloureuse, et moi je redescendis vers la chaussée. Au passage, une lance, braquée sur les hautes flammes du fond, m'aspergea.

« Tous morts », dit encore une voix.

J'entendais des appels, des lamentations, hachés par le bruit de la moto-pompe.

« Ça va pour vous, me dit le chef. Nous avons assez de monde à présent. *Grazie tanto !* »

pleurait silencieusement, les yeux baissés, et les larmes coulaient, brillantes, le long de ses joues.

« Silvia, voyons... »

Mais j'étais attendri par cette émotion, j'en connaissais la source merveilleuse.

« J'ai voulu aider les pompiers », dis-je rapidement.

La phrase me parut absurde, d'une ironie indécente après ce que j'avais vécu. Toute la moitié droite de mon visage était endolorie et j'avais l'impression que mon nez pesait comme du plomb. Je retournai cependant près de Silvia, la caressai, l'embrassai. Elle se calmait peu à peu et je compris que durant toute la durée de l'alerte elle avait éprouvé en pensant à moi une angoisse insoutenable. Sa tante l'avait empêchée de quitter l'abri. (De toute manière, l'issue en était gardée par les volontaires de la Défense passive.) Lorsqu'elle avait entendu l'explosion, elle s'était imaginée que la bombe venait de tomber sur notre maison ; que j'étais peut-être mort sous des tonnes de pierres ou enseveli vivant ou gravement blessé. Elle aurait voulu mourir dans cet instant ! Je la voyais s'animer tandis qu'elle me racontait son attente, qu'elle m'expliquait son état d'esprit ! Elle se serait tuée si on lui avait appris que j'avais disparu, écrasé sous le bombardement ! Et je la croyais et baisai ses joues mouillées, ses lèvres brûlantes. Ah ! lorsqu'elle m'avait vu rentrer couvert de sang, il lui avait semblé que son cœur s'arrêtait ! Tous ces propos, chuchotés fiévreusement à mon oreille, soulageaient un peu en moi une souffrance sournoise. J'avais besoin de cette tendresse, j'aurais besoin jusqu'à la mort de cette tendresse pour effacer l'image des cadavres d'enfants que j'avais portés dans mes bras, pour oublier la voix de l'inconnu qui hurlait sur les ruines sa douleur et sa haine.

Couché contre Silvia, la lampe éteinte, j'entendais encore ces cris. J'avais eu tort de partir. J'aurais mieux fait peut-être de rester près de ce misérable ! Mais qu'aurais-je pu pour lui ? Les dernières braises dans la cheminée éclairaient faiblement la pièce. Pourquoi étais-je parti ? Je me le reprochais, à présent. J'avais suivi, sans réfléchir, le conseil du chef. Il m'avait cru sans doute assez sérieusement touché ? J'avais saigné beaucoup, il est vrai. Je ne parvenais pas à trouver le sommeil, et Silvia la tête sur mon épaule, se mit à chuchoter de nouveau, de façon pressante. Elle me suppliait de ne pas retourner là-haut, de demeurer caché dans cette maison, où je n'aurais pas longtemps à attendre. Les Alliés attaqueraient bientôt, et le front se transporterait vers le nord. Oui, oui, mais moi je savais bien que les coups de l'ouvrier ne m'avaient pas réellement « sonné » et que j'aurais dû rester encore. « Je ne pourrai vivre, si tu t'éloignes, si tu repars au danger. Je mourrais. » Le ton qu'elle avait pris m'alerta et je l'écoutai cette fois. C'était cela, c'était cela ! Elle me suppliait de déserter, de ne pas rejoindre mon unité à la fin de ma permission de convalescence, de vivre là, près d'elle, de ne pas risquer une mort absurde, de ne pas renoncer à notre bonheur. Tu en as fait assez. Pourquoi tenter le destin ? Et moi je ne répliquais rien, je distinguais ses grands yeux fixés sur moi, leur lueur étrange et pénétrante. Je sentais le poids de son épaule, de sa gorge, sur ma poitrine, et ses cheveux touchaient ma joue, et je comprenais qu'elle avait raison, mille fois raison. J'étais las, mortellement las, et mes nerfs commençaient à réagir lentement, avec retard, à l'horreur de la scène précédente, à ce contact des jeunes corps brisés, à cette fureur de l'homme en proie à sa folie de désespoir.

Serge, si tu pars, je ne pourrai vivre. Tu ne dois pas. Il ne faut pas que tu partes, mon amour, et le feu mourant dans la cheminée accompagnait cette plainte de ses petits craquements insolites. Et comme elle avait raison ! Ah ! j'avais mon compte ! J'en avais assez vu. J'en avais assez bavé ! Le moment était venu de jeter l'éponge, comme les boxeurs à bout de résistance ! Oui, oui, bon Dieu ! je la jetais, l'éponge ! Abandon ! J'étais soûl de coups ! Fini le match ! « Tous des canailles ! » Et Silvia continuait d'un ton plus persuasif, plus résolu, et je ne répondais rien, je la tenais serrée contre moi, je regardais le plafond, doré par la lueur des braises, l'esprit emporté sur une mer glacée. « Vous pouvez partir, avait dit le chef, nous sommes assez nombreux, à présent ! » Ce n'étaient pas exactement les mots qu'il avait employés, mais qu'importait ? Eh bien, je partais. J'avais raison de partir. Dieu, que j'avais mal au nez ! Ridicule de souffrir d'une douleur pareille. Sans compter ma hanche. Jure-moi, jure-moi ! insistait Silvia et je promis tout ce qu'elle voulait. Ah ! mon amour, mon amour, gémit-elle, la tête enfouie au creux de mon épaule, son corps pressé contre le mien — la douce, la bonne, la souveraine chaleur d'un corps vivant ! — et j'entendis les chiens aboyer dans les garages et leurs aboiements réveillèrent des échos bizarres dans le puits de la cour. Je répétai que je resterais. Je caressais la nuque de Silvia, et Silvia me disait qu'elle savait bien, qu'elle avait été sûre, du premier moment, que j'accepterais et elle m'embrassait et ses baisers me brûlaient la peau, m'incendiaient le cœur.

LE lendemain, à mon réveil, je vis que Silvia avait les yeux ouverts, qu'elle me guettait tendrement et je lui souris. Ensuite je lui racontai mon rêve. J'avais dû fuir, traqué de toutes parts. Je faisais souvent ce même rêve où l'on me poursuivait sans merci et c'était toujours cette course hagarde dans une sombre forêt hérissée de plantes en lames de sabre ou dans une ville déserte, construite de hauts immeubles géométriques, tout blancs, d'une blancheur de lait, angoissants, les fenêtres closes...

Elle m'attira contre elle, contre ses beaux seins nus, et nous restâmes ainsi un moment, puis à voix basse, elle me rappela notre décision de la veille. Non, je n'avais pas oublié, je n'avais rien oublié... Mais elle me prit le visage entre ses mains, chercha mon regard. Elle semblait craindre de me voir fléchir, revenir sur ma parole. Où était la jeune fille calme et raisonnable et sûre de ses nerfs que j'avais connue au début de notre rencontre ? Elle m'apparut ce matin-là brûlée de pure passion, et son ardeur me subjuguait. Son énergie magnétique détruisait la moindre hésitation, le moindre tourment de conscience. Ce projet se révélait à mes yeux ennobli, justifié par notre amour. J'ironisai avec gentillesse : Silvia refusait que je sois tué ? Ah ! que j'étais de son avis ! Nous étions peut-être les deux seules créatures au monde à souhaiter que je vive ! Mais elle n'accepta pas le ton que j'avais choisi, m'embrassa avec emportement et je compris qu'elle était roulée dans les tourbillons d'un sentiment violent et dévastateur. J'en fus surpris et flatté et, aussi, secrètement effrayé. Lorsqu'elle décida d'établir tout de suite les règles de notre nouvelle vie, surtout de la période de clandestinité à laquelle je serais contraint, j'objectai que, somme toute, je bénéficiais encore d'une semaine de permission régulière et qu'il serait temps d'aviser. Sans paraître convaincue, elle céda.

Peu après, j'évoquai les difficultés que cette situation allait apporter à notre mariage. Eh bien, nous renoncerions à ce mariage !

« Et tu es croyante ! »

Elle rit nerveusement.

« Oui. C'est différent... Mais jusqu'à toi, j'ai accordé de l'importance à beaucoup de choses. »

J'évaluai aussitôt, et avec étonnement, le sens d'une pareille réplique, les transformations profondes qu'elle révélait dans l'esprit et le cœur de Silvia. Et moi ? Et moi ? Est-ce que je m'attardais une seconde à réfléchir à la gravité de ce tournant que je prenais ? J'avais la sensation de me laisser tomber, par un jour de chaleur épaisse, dans une eau merveilleusement fraîche et claire.

« Et tes parents, Silvia ? »

Elle rit du même petit rire aigu :

« Je suis heureuse. J'ai ta promesse. Je n'ai peur de rien ni de personne. »

Une joie chaude me gonflait le cœur tandis que je l'écoutais. A la fin, Silvia se leva car elle devait partir pour la librairie. Je l'observai durant tout le temps de ses préparatifs, ravi par ses gestes harmonieux tandis qu'elle se lavait, s'habillait... Toute mon intelligence glissait sur une pente vertigineuse, se perdait, s'éparpillait, et je ne me souciais pas de la ressaisir. Les heures de ce matin-là m'apparaissent aujourd'hui encore pleines et rondes, belles oranges dorées pour ma soif et ma faim.

Au moment de me quitter, Silvia — en manteau sombre et toque de velours — se pencha sur moi qui étais resté couché. Elle m'embrassa, sourit, murmura d'une voix fiévreuse :

« J'ai vécu des siècles en quelques jours. Je suis très, très vieille, sais-tu ? Et lucide... »

Elle se redressa, ajouta d'un petit ton de défi :

« ... et forte ! »

flés et sanglants, hideux comme des pièces de boucherie, entourés de couronnes d'épines et d'inscriptions en latin.

J'appris qu'on allait remercier saint Janvier d'avoir protégé Naples des fureurs du Vésuve. On allait aussi le prier de lui épargner les bombardements. En somme, un saint à qui la tâche ne manquait pas.

J'errai pendant un peu plus d'une heure, en traînant la jambe. Sur la petite place Mondragone, des gamins me harcelèrent, me firent leurs propositions habituelles. Je redescendis vers la Galleria par une rue en escaliers. Dieu, que cette ville était belle ! Une lumière pure tombait lentement du ciel d'avril, faisait briller les coupoles et les dômes et aussi les ballons argentés de la Défense passive balancés au bout de leur filin. Sur la mer indigo, les îles rayonnaient, leurs crêtes hérissées de hautes flammes dorées et, de l'autre côté de la baie, le Vésuve ne fumait plus du tout, veiné de bleu et de gris, piqué d'éclats de soleil, comme si ses flancs puissants étaient semés de milliers de miroirs et de pierreries. Je ne me lassais pas d'admirer ce paysage, l'âme ouverte à la douceur de cette journée qui s'accordait si intimement à mes désirs ! Un navire doublait la presqu'île sorrentine et des oiseaux plongeaient au-dessus du port, et il me sembla que je flottais moi-même dans cet air limpide, libéré de la terre ! Ah ! comment aurais-je pu jamais quitter Silvia ? Les heures, qui chaque jour me séparaient d'elle, m'apparaissaient cruellement interminables. Parfois, dans mon impatience, je l'appelais par téléphone à la librairie, je me calmais un peu à écouter sa voix, je me rassurais à retrouver ses mots de tendresse. Elle avait raison, elle avait raison, je m'étais assez battu, j'avais assez souffert. Le mal existait et le monde était féroce, mais j'allais vivre désormais en les ignorant.

J'avais au cœur une passion fulgurante qui faisait l'ombre autour d'elle. La vie ne se dérobait plus sous mes pas, j'avais pris pied enfin, j'étais sauvé. Il me suffisait d'évoquer le souffle endormi de Silvia, la nuit, près de moi, pour me découvrir possesseur d'une vérité absolue, irréfutable, contre laquelle les sordides arguments des hommes venaient s'émietter. Je n'attendais d'ailleurs plus rien des autres. J'étais pour eux sans amitié ni rancune, détaché, libre du moindre doute à leur égard !

Je contemplai encore Naples avec émotion, puis je descendis en direction de la via Chiaïa. Je m'arrêtai à une fontaine pour me baigner la tête. Tout près, deux femmes bavardaient. La plus jeune était enceinte.

« Mais je t'assure, disait-elle, que je ne voulais pas le garder ! »

Elle avait un visage plat, un peu mongol, des lèvres étonnamment charnues. Sa compagne lui fit une remarque que je ne pus entendre.

« Mais j'y suis allée ! s'exclama la jeune. Qu'est-ce que tu crois ! J'ai même vendu la machine à coudre pour pouvoir la payer ! J'ai fait tout le chemin à pied ! Mais elle était justement sortie ce jour-là ! Elle qui ne sort jamais ! Alors je me suis dit : « Si la vieille n'est pas là, c'est Dieu qui l'a voulu. Je le garde. »

Et elle mit les deux mains sur son ventre gonflé.

Je m'essuyais les joues et le front avec mon mouchoir roulé en boule. Déjà des enfants accouraient. Ils semblaient surgir du sol par magie. Tous vifs, entreprenants, jacasseurs. Je brouillai par jeu les cheveux du plus proche et m'enfuis.

Je m'attablai à la terrasse d'un café sous la Galleria Umberto. J'étais à présent tout engourdi de lassitude et j'allongeai ma jambe gauche sur une chaise afin de mieux reposer ma hanche fatiguée.

Je frappai du poing sur le guéridon pour appeler le serveur et commandai un vermouth. Encore une heure avant de rejoindre Silvia ! J'étais tout plein d'elle, lié à elle par une complicité plus profonde et pathétique depuis la veille. Lorsque j'étais enfant, ma mère, pour épargner ses yeux, me donnait à lire à voix haute des romans où s'agitaient des personnages dont jamais je ne parvenais à comprendre le comportement. Mais je le devinais aujourd'hui et je me demandais avec ironie si ma mère sourirait rêveusement, comme autrefois aux aventures sentimentales et imaginaires, en apprenant que j'avais déserté par amour. A cette pensée, j'admis que j'avais déjà sauté dans un autre univers — après que mon esprit eut franchi des distances vertigineuses — et que j'étais entré dans celui — pur, exalté, sans concession — de Silvia ! Je regardai ma montre, dépité de voir que le temps se traînait. Finalement, je me fis servir un second vermouth. Autour de moi, les tables étaient occupées par des soldats de toutes armes et de quatre ou cinq nationalités. Ils avaient presque tous ce teint recuit que donnait l'air glacé du front. Machinalement, je cherchai du regard mon Australien du fameux soir. Mais peut-être, si je le retrouvais un jour, devrais-je le remercier de m'avoir ouvert, sans le savoir, un chemin de délices. Je lui souriais intérieurement, les yeux mi-clos, tout en fumant une cigarette de troupe.

Je regardai la Galleria. Rien n'y avait changé et tout, déjà, était différent. Ce n'était plus pour moi un simple lieu de passage mais un rivage conquis où ma vie jetait l'ancre ! Je regardai défiler les Napolitains affairés, les M.P. sévères, les bersagliers en tenue d'opérette et je sus qu'ils n'étaient, en fait, que des ombres. Moi seul avais authentiquement droit à cette lumière si douce et caressante et je me renversai sur mon fauteuil, le visage vers les grands arcs des verrières, vers le ciel où mon cœur planait à coups d'ailes nonchalants...

« Bonjour, mon lieutenant ! » dit une voix toute proche.

C'était à moi qu'on parlait. Je me redressai et vis deux de mes sous-officiers qui me souriaient.

« Ah ! c'est vous ! »

Je les priai de s'asseoir. L'un, Messaoud, pur Kabyle, avait un visage osseux, des yeux aigus et sombres qu'une ironie joyeuse, je le savais, pouvait faire pétiller. L'autre, Fernandez, mécanicien de Bab el Oued, portait sur un corps maigre et interminable une petite tête sèche, toute blonde, ce qui étonnait toujours lorsqu'on apprenait ses origines entièrement andalouses. J'étais content de les voir. Ils étaient venus ensemble passer à Naples une courte permission. J'appris que Messaoud était proposé pour la croix de guerre à la suite d'un exploit au cours d'une patrouille — un officier de liaison capturé dans un blockhaus après une bagarre où les Allemands avaient perdu trois morts. Je le félicitai et il me répliqua :

« Oh ! mon lieutenant, vous savez, avec ou sans croix de guerre, quand je reviendrai en Algérie, je serai toujours un « bicot ».

Ton désabusé qu'aggravait la malice de l'œil noir dardé sur moi. Je me récriai. Mais non. Les esprits changeraient après la guerre. Les hommes auraient appris la fraternité après tant de malheurs, mais j'en étais à mon troisième vermouth et je parlais sous l'effet de l'alcool, dont une faible quantité suffisait toujours à me remplir d'ardeur philanthropique. Messaoud but une gorgée du « soda » qu'il avait commandé et ne répondit rien. Fernandez, lui, m'approuva. C'était un ardent syndicaliste et, dès son affectation à mon unité, on m'avait recommandé de le surveiller. Mais dans l'unique rapport qu'on avait fini par me tirer à son sujet, j'avais insisté sur le fait que Fernandez lisait assidûment la Bible, ce qui était vrai. On ne me réclama plus rien. Peut-être dans les services spéciaux de l'armée en avait-on conclu que Fernandez — après une bienheureuse illumination — s'occupait à racheter son âme ! Je l'aimais bien. Comme sergent, il était actif, compétent, aguerri, plein d'initiative. Lui aussi pensait que cette guerre, pour terrible et inhumaine qu'elle fût, conduirait non seulement à la libération de l'Europe, Allemagne comprise, mais de tous les peuples opprimés. Il se plaignit des Alliés qui retardaient, malgré leurs promesses, l'ouverture du second front. Il les soupçonnait de vouloir laisser les Soviétiques augmenter leurs pertes déjà terrifiantes dans l'espoir que le régime socialiste s'effondrerait.

Mais pour Messaoud, si on n'ouvrait pas encore le second front, c'est qu'il fallait faire passer la mer à une immense armée et que cela supposait des préparatifs à la fois minutieux et gigantesques.

Fernandez maintint son opinion :

« Des millions de gens dont la liberté et la vie sont menacées, attendent, espèrent en nous, qui avons les armes à la main. Et nous tardons, nom de Dieu ! »

Heureusement, il y avait les Soviétiques. Il parlait — avec l'accent des faubourgs d'Alger — de leurs exploits. Il le faisait avec une chaleur et une naïve fierté qui défiaient l'ironie tant on devinait en lui une conviction généreuse et une âme claire. Je le sentais pénétré de cette morale ouvrière où en première vertu rayonne la solidarité. Et à présent j'écoutais en silence. Ces camarades allaient peut-être mourir pour des causes qui m'étaient subitement devenues étrangères. Je leur souriais, mais je me sentais véritablement « en dehors ». L'heure de rejoindre Silvia approchait. Silvia aussi, de son côté, devait consulter sa montre. Je payai les consommations et regardai les deux sergents avec amitié. Nous avions vécu ensemble des jours et des nuits d'angoisse, mais qu'importait ? Je les regardais comme je l'aurais fait du pont d'un navire prêt à appareiller pour un long voyage sans retour.

J'ARRIVAI le premier à la maison et j'en profitai pour renouveler la provision de bois. Pour cela, je dus explorer l'appartement du troisième étage en déplaçant la barricade qui fermait l'aile écrasée. C'était un vaste appartement, je veux dire qu'il avait dû l'être avant sa destruction partielle. Des housses blanches recouvraient les meubles dans les pièces épargnées. J'eus l'impression de défiler devant une assemblée de fantômes et l'odeur âcre de poussière et d'air confiné me fit éternuer.

J'achevais de ranimer le feu dans la cheminée lorsque Silvia entra. Je l'étreignis avec fougue, lui couvris le visage et le cou de baisers.

Ensuite elle ouvrit en souriant une petite valise que je n'avais pas remarquée. Elle contenait un complet gris foncé, en bon état.

« Mon oncle ne veut plus le porter. Il me semble que cela t'ira. »

Elle avait prévu qu'il me faudrait rester caché jusqu'au départ des Alliés. Donc, ne pas sortir ou, en cas d'absolue nécessité, le faire en vêtements civils. Tant d'assurance me ravit. Je me sentis invulnérable, protégé contre la méchanceté des hommes, contre les mauvais tours du destin !

Tandis qu'elle préparait notre dîner — Silvia en tablier blanc. les manches retroussées devant le fourneau ! — je lui confiai que j'aurais scrupule à ce que, durant des mois, elle m'entretînt. Il me faudrait un travail, une occupation qui me permît de gagner assez d'argent. Eh bien, répliqua-t-elle, elle m'apprendrait la reliure. Elle m'apporterait l'outillage nécessaire. Les commandes, chez Varella, ne manquaient pas.

« Diablesse ! lui dis-je en riant, tu as réponse à tout ! »

Et j'envisageai ma nouvelle existence avec sérénité.

Notre repas terminé, j'allai m'asseoir sur le fauteuil devant la cheminée et Silvia s'installa à mes pieds. Elle resta un moment ainsi, toute songeuse, le visage tourné vers les flammes qui allumaient dans ses prunelles des petits éclairs. Comme je l'attirais contre moi, elle m'embrassa, murmura qu'elle m'aimait plus que sa vie, qu'elle ne se souciait de rien d'autre que de notre bonheur. Elle parlait avec une véhémence de plus en plus fiévreuse. Non, elle n'accepterait pas de me perdre. Si j'avais dû partir, elle serait devenue folle. J'en avais assez fait, ma blessure le prouvait, à quoi bon de nouveaux dangers, de nouveaux risques ? Et j'écoutais ce merveilleux, ce cruel et merveilleux égoïsme s'exprimer en mots brûlants ! J'étais fasciné par cette passion qui bouillonnait dans son cœur, qui détruisait tout autre sentiment, comme cette lave aux flancs du Vésuve qui avait ravagé les vergers et les vignes, créant le désert dans sa coulée victorieuse, irrésistible ! Pourquoi ne pas le dire ? Il y avait aussi en elle une ardeur ténébreuse de jeune femelle livrée à son instinct profond. Je devinais une Silvia triomphante, grisée déjà par sa possession. Ah ! je serais enfermé là, je dépendrais d'elle, je serais livré à elle ! Et je le lui dis en souriant et l'appelai : « Petit monstre ! »

Mais elle affirma qu'elle était décidée à lutter, à me défendre contre moi-même et contre la terre entière !

Les quelques jours qui suivirent furent remplis de fiévreux préparatifs pour aménager ma vie clandestine. Silvia s'était déjà procuré le premier outillage pour m'initier à la reliure. On transformerait en atelier la pièce voisine, malgré son délabrement, et je m'y installerais dès que le froid serait moins vif.

Un soir, Silvia m'entraîna dans l'appartement au-dessus du nôtre, le dernier de l'immeuble et le seul que jusque-là je n'eusse pas visité. Il avait beaucoup souffert mais une partie de la terrasse, demeurée intacte, le protégeait. On n'avait plus accès à cette terrasse. L'escalier qui y conduisait était entièrement détruit.

Je ne comprenais pas quel était le dessein de Silvia, mais je la suivis docilement. Elle me fit traverser des pièces lugubres, glacées, encombrées de meubles endommagés que les propriétaires avaient négligé d'évacuer. Sous les pas craquaient des débris de plâtre et de verre.

A l'extrémité, je vis le mur mitoyen fendu du haut en bas. La pluie l'avait taché de longues traînées verdâtres. J'examinai la brèche : pas très large mais suffisante pour permettre le passage à un homme de corpulence moyenne. Par là on pouvait fuir, en cas de danger pressant et se faufiler dans les ruines de la maison voisine. J'approuvai Silvia en lui tapotant la nuque. Décidément, elle ne négligeait rien.

Je franchis le passage précautionneusement. Par une fenêtre crevée, j'aperçus en bas dans notre cour les chiens qui flânaient. Je regardai aussi le ciel étoilé, traversé de quelques longs nuages, et les toits brillants, tout givrés de lune. Je me retournai et vis dans la pénombre Silvia qui m'observait en silence.

CHAQUE matin renouvelait nos jeux amoureux. Après nos caresses, de plus en plus prolongées, raffinées — car Silvia se révélait merveilleusement ardente ! — elle se préparait la première pour rejoindre la librairie. Lorsque avant de partir elle se penchait sur moi pour m'embrasser, je remarquais sur ses traits cette lassitude et dans son regard ce rayonnement laissés par nos heures d'exaltation sensuelle.

Ce jour-là, je me levai avant elle, je la laissai couchée, nue au milieu du lit dévasté, les yeux clos, les jambes et les bras écartés dans une pose de voluptueux abandon. C'était le jour fixé par l'autorité militaire pour la visite médicale. Ensuite, à la fin de la semaine, je devais réintégrer mon unité. Je ne le ferais pas, et cette décision allait jeter sur moi des risques terribles. Silvia les connaissait aussi. Nous les avions acceptés, et j'avais confiance : on me rechercherait en vain et, la guerre finie, l'oubli effacerait tout. Cette période, pour difficile qu'elle fût, contribuerait à enraciner davantage, à fortifier notre passion.

Au fur et à mesure que la date extrême approchait, j'avais remarqué que Silvia paraissait tendue, crispée. Comme j'aimais cependant cette pâleur nouvelle sur son visage ! Comme j'aimais cette anxiété dans ses yeux ! Elles lui donnaient une séduction encore plus profonde, un charme plus envoûtant.

Elle savait que je devais me rendre à l'hôpital avec Joe. Au moment de nous séparer, elle se leva, me conseilla la prudence. Si Joe, dont je lui avais vanté la perspicacité, venait à soupçonner notre projet, à coup sûr il s'efforcerait de m'en dissuader par tous les moyens. Donc, surveiller avec lui mon comportement et mes propos.

Je promis de dissimuler de mon mieux. Mais elle insista. Elle craignait Joe. Elle craignait notre amitié, elle en connaissait la force. Je ne devrais même pas parler de Silvia. Dans l'excès de mon émotion, je pouvais me trahir. Lorsqu'il apprendrait ma désertion, il serait bien trop tard pour qu'il intervînt.

J'acceptai d'agir entièrement comme elle le désirait. Elle me subjuguait. Près d'elle, j'étais devenu un être nouveau.

Je m'acheminai donc vers l'endroit du rendez-vous et je croisai, Piazza Matteotti, un détachement de soldats britanniques qui assistaient au lever des pavillons alliés à l'extrémité de grands mâts dressés en demi-cercle.

Je descendis la via Roma et de loin, j'aperçus Joe qui m'attendait devant la Galleria. La Fiat était garée dix mètres plus loin, perpendiculairement à la porte de l'imprimerie. Joe me parut déprimé, d'humeur maussade. Nous échangeâmes à peine quelques mots.

Je me mis au volant de la Fiat et démarrai en

direction de la Riviera di Chiaïa. D'abord je me dis que le mutisme de Joe me facilitait les choses. Je n'avais pas à jouer la comédie du « permissionnaire - rentrant », écœuré, cafardeux. Mais à la longue, son attitude m'intrigua, et je lui en fis la remarque :

« Je te raconterai, dit-il.

— Est-ce grave ?

— Plus tard, plus tard... »

Le ton me surprit. Je ne savais plus que penser. Devant nous les frondaisons du Pausilippe se dégageaient de la brume matinale. Le soleil éclairait obliquement les maisons. Des barques se balançaient contre le môle de Mergellina. Je me rappelais toutes les paroles de Silvia, ses conseils de prudence. Oui, Joe serait surpris, peiné, Joe me désavouerait. Qu'importait ? De toute façon, j'avais l'absolue certitude qu'il ne livrerait jamais, à personne, le moindre indice qui pût faciliter les recherches à mon sujet. Sur les blocs de la jetée je lus une inscription mussolinienne : « *Credere, obbedire, combattere.* » Mon esprit la capta avec une ironie acerbe ! Le conseil ne valait rien pour moi ! Je refusais désormais d'obéir et de combattre ! Et je ne croyais qu'en Silvia !

Au deuxième lacet, sur le flanc de la colline, le paysage se révéla cette fois précis, franc de couleurs, les contours à vif comme ces paysages peints sur les éventails. A la dérobée, j'observais Joe, ses yeux tristes, son front soucieux, ses lèvres durement serrées. Je m'appliquais à conduire la Fiat poussive sans trop fatiguer son moteur dans la montée. Mais parvenus dans les jardins de l'hôpital — dont les vitres étincelaient au soleil, barrées de bandes de papier collées en X —, Joe se mit à marcher sous les arbres. Nous étions en avance. Je sortis à mon tour de la voiture, fis claquer la portière et le rejoignis :

« Qu'est-ce qui ne va pas, vieux ? »

Il s'assit sur un banc de pierre entouré de petites fleurs printanières et de longues tiges herbeuses emperlées de rosée. Je m'installai près de lui.

« Serge, dit-il, les nazis exterminent systématiquement tous les Juifs... »

Il avait lâché cette phrase sans me regarder, la tête basse, en arrachant d'un geste machinal, les jeunes pousses à sa portée. Sa voix était rêche, sans émotion. Mais je le connaissais suffisamment pour savoir que c'était là sa manière de contenir des sentiments trop forts.

« Qui t'a raconté ça ?

— Des gens parfaitement renseignés. »

Je n'ignorais pas qu'il fréquentait des correspondants de guerre américains. Certaines amitiés, comme sa parfaite connaissance de l'anglais, lui avaient aussi permis d'entrer en relation avec des officiers de services spéciaux. A cette époque, en Italie, les violences hitlériennes, certes, n'étaient un secret pour personne, mais les allusions aux camps de mort nous semblaient provenir en ligne directe des officines de la *Psychological Warfare Branch*.

« Il ne faut pas croire tous les bobards qui circulent », dis-je.

Il gardait les yeux fixés sur les jeunes plantes à ses pieds. Je repris, d'un ton plus animé :

« Il y a la propagande, vieux. Et à la P.W.B., l'âge mental des types qu'elle recrute ne dépasse pas douze ans. »

Je lui offris une cigarette qu'il accepta. Tout en fumant, je répétai :

« Il ne faut pas croire ces histoires. Les vraies sont déjà assez horribles.

— Je suis obligé de croire, dit-il, une lettre qui m'apprend que ma sœur, mon beau-frère et leurs trois gosses ont été asphyxiés dans une chambre à gaz deux mois après avoir été arrêtés à Nancy. »

Je ne sais ce que j'allais répondre, mais Joe se leva nerveusement, dit d'un ton excédé :

« Non, je t'en prie ! »

Et il fit quelques pas dans l'allée, lentement. J'écoutai les graviers crisser sous ses brodequins. J'étais toujours désemparé devant la douleur des autres, et la peur de me montrer maladroit me paralysait. Je ne bougeai pas. J'écoutai ce pas pesant, ce bruit sourd, avec l'impression qu'on me marchait sur la tête, sur le visage.

Je laissai Joe tout seul, sachant bien qu'il préférait cela. Il se dirigea vers la fontaine et parut s'intéresser au masque de bronze — celui d'un satyre hilare — d'où sortait l'eau. Vers la fin de mon séjour à l'hôpital, je venais souvent jusqu'à la vasque, en clopinant avec ma béquille. J'appréciais alors le calme de ce coin du jardin, peu fréquenté. Si le temps le permettait, je m'asseyais pour lire sur la margelle... Je ne sais pourquoi, je regardai Joe, là-bas, mince tache kaki, comme si je regardais avec tristesse le fantôme de moi-même. Des flèches de soleil tombaient entre les arbres, autour de lui. Je sentais que ma pensée qui tournait à toute allure, peu à peu s'immobilisait, se fixait sur une seule image, atroce, obsédante. Joe revint vers moi. Je me levai, murmurai :

« Pardonne-moi, vieux, mais... »

Il m'arrêta, et je découvris avec surprise qu'il me souriait. C'était un sourire forcé, bien sûr, un sourire courageux qui n'éclairait pas son regard.

« Ça va, dit-il. Je crois que c'est l'heure. Allons... »

Nous nous dirigeâmes vers le bâtiment central. Des blessés en convalescence étaient allongés sur des chaises longues. Ils suivaient tous des yeux une jeune infirmière qui traversait la terrasse. Sous ces regards aiguisés par le désir, elle marchait d'un pas assuré, consciente de son pouvoir, et toute la lumière de ce matin d'avril semblait se concentrer sur elle, en tourbillons serrés.

On m'appela le premier.

Le médecin-capitaine qui m'examina — petit, blond, poupin, le regard pâle derrière ses lunettes — me posa quelques questions sur la manière dont j'avais profité de ma permission. J'avais beaucoup marché ? Parfait ! J'avais dansé ? Bravo... Il me palpait le ventre, enfonçait les doigts dans la chair, autour de ma blessure. La longue croûte qui s'était formée à l'endroit où j'avais été touché par l'Australien, l'intrigua. Je lui racontai en deux mots ma mésaventure.

« Parfait ! Vous vous en êtes bien tiré ! Une chance ! »

Il me fit exécuter certains mouvements. Mais essayez de sautiller, tout nu, tandis qu'on vous observe ! Je ne pus m'empêcher de rire jusqu'à la seconde où une douleur vive — continuez ! continuez ! ordonna l'autre — se mit à me prendre le ventre ! Mains aux hanches, je prolongeai donc l'exercice, et mon sexe ballottait, mais je n'y trouvais plus rien de comique tant devenait pénible la sensation que mes intestins se nouaient, se remplissaient de plomb.

Le petit docteur leva la main. Je m'arrêtai.

« Parfait, parfait ! dit-il en souriant.

— Est-ce bien le mot juste ? »

Ma question l'amusa. Des dents en or luisaient dans sa bouche rose.

« Le coup de pied de votre Australien aurait pu faire des dégâts plus importants, si vous voyez ce que je veux dire. »

Après un petit silence, il ajouta :

« Coup de pied ou non, votre affaire n'est pas au point. »

Et pour mieux me convaincre, et avant que j'aie pu prévoir le geste, il m'enfonça sournoisement le doigt à l'endroit où ma blessure dessinait sa courbe. Je ne pus réprimer un cri.

« Hé ! vous voyez ? dit-il, satisfait du résultat.

— Je vois. »

Il se passa la main sur le crâne, une main potelée, aux ongles carrés. Je ne le lâchais plus des yeux. Il m'avait fait mal, le bougre, et je me tenais à présent sur mes gardes.

« Dites-moi, lieutenant ! »

Je frottai ma hanche tout en reprenant mon souffle.

« Dites-moi, est-ce que vous supporteriez vraiment quinze jours supplémentaires à Naples ?

— Bon sang, je crois que je saurai les employer ; dis-je plein d'espoir.

— Parfait ! »

Tout en me rhabillant, je le regardais remplir des feuilles avec son petit stylo d'écolier. Quinze jours de plus ! Deux longues semaines ! Je l'écoutais à peine tandis qu'il me décrivait les exercices auxquels je devrais m'astreindre, les précautions à ne pas oublier, etc. Ensuite il m'envoya dans la salle voisine compléter les formalités.

Comme Joe attendait encore son tour, j'en profitai pour aller saluer mes infirmières. Et dès que j'aperçus le téléphone chez l'infirmière-major, je demandai la permission de l'utiliser. J'appelai Silvia à la librairie, et elle m'apprit qu'elle se préparait justement à partir, à rejoindre sa tante. Etat de nouveau très grave. Elle me raconterait. Mais elle serait prise jusqu'au soir, assez tard. Je pestai contre la tante. Elle répliqua avec ironie que c'est à l'oncle qu'il fallait en vouloir. Au diable, celui-là aussi ! Mon dépit la fit rire. Et j'écoutai ce rire avec bonheur. Derrière les vitres de la fenêtre s'étirait une branche d'arbre bourgeonnante. Il me sembla que je n'avais plus de passé, que ma mémoire était vierge, que j'étais né avec ce printemps.

Lorsque je raccrochai l'appareil, alors seulement je m'aperçus que j'avais oublié d'informer Silvia de la décision du médecin. Mais qu'importait ? Elle aurait la surprise un peu plus tard.

Je sortis pour fumer dans le jardin. On venait d'appeler Joe. Je me dirigeais vers l'allée centrale lorsque j'entendis crier mon nom. Je me retournai : c'était Castanier. Puisqu'il appartenait au service de Santé, je ne pouvais m'étonner trop de le trouver là. Il arriva sur moi, la main tendue, affirma qu'il était enchanté de me revoir et il paraissait sincère.

« Je viens de voir vos papiers. Deux semaines de « rallonge ». Mes félicitations.

— C'est en effet une aubaine, dis-je modestement.

— Pourquoi ne la fêterions-nous pas ensemble ? »

En dépit de ses privilèges — très réels —, ce garçon-là devait être assez seul. J'hésitai à accepter son invitation. Notre dernière rencontre m'avait laissé un sérieux malaise. Mais il me pressait :

« Il faut fêter ça, voyons ! »

Au vrai, ce sursis ne m'avait inspiré aucune joie. Peut-être étais-je encore sous l'influence de la révélation que Joe m'avait faite une heure plus tôt.

« Ne seriez-vous pas libre ce soir ? »

Hé oui, hélas ! j'étais libre, puisque Mme Massini retiendrait Silvia !

« Voulez-vous ce soir ? »

J'acceptai à la fin, et il nota son adresse sur une feuille de carnet. Au moment de nous séparer, il m'assura encore avec un contentement très sensible qu'il était ravi à l'idée d'évoquer en ma compagnie des souvenirs d'Alger.

Au retour de l'hôpital, après avoir rangé la Fiat à son emplacement habituel, j'allai déjeuner avec Joe au mess de la via Baracca. Nous fîmes table commune avec Chanderli et un correspondant de guerre français, Fernand Pistor. Chanderli parlait de la vie terrible que menaient les Américains et les Anglais dans l'enclave d'Anzio-Nettuno, si étroite qu'en n'importe quel endroit on risquait d'être atteint. En première ligne, les fantassins passaient des jours et des nuits dans leurs trous individuels, à demi remplis d'eau par les pluies, sous un feu incessant. Aux canons lourds allemands s'ajoutaient ceux de « l'Express d'Anzio » — l'artillerie sur voie ferrée — qui battaient le rivage. Les Alliés ravitaillaient difficilement leur « tête de pont ». On n'atteignait plus le petit port que par sous-marin. Avec le printemps, les marécages libéraient leurs miasmes et les moustiques pullulaient...

Pistor raconta alors l'équipée d'un de ses confrères américains qui, un soir, à Caserta, après de fortes libations, décida de rejoindre Anzio par la route ! Et de sauter sur sa jeep, et de rouler sur la via Casilina, droit vers le nord, tous phares allumés ! A un certain endroit, il doit s'arrêter. C'est le premier obstacle qu'il rencontre : des « dents de lion » barrent la chaussée. Il met pied à terre, et dans la seconde même on tire sur lui de tous les côtés tandis que des fusées éclatent et illuminent le paysage comme en plein jour. Complètement dégrisé, notre reporter, aplati dans le fossé, distingue les barbelés et les blockhaus hérissés de méchantes petites langues de feu. Le chahut dure une éternité. Puis le calme se fait subitement. Silence épais. Les étoiles brillent. Le froid mord. L'Américain retourne à la jeep dont les phares sont brisés, le pare-brise pulvérisé, les banquettes déchiquetées, les flancs percés en écumoire, mais qui, par miracle, a conservé ses pneus intacts. Il opère un demi-tour à la main, reprend le volant, roule sans moteur sur la pente et tombe sur des compatriotes qui l'auraient truffé de projectiles s'ils n'avaient juste à temps reconnu l'étoile blanche.

Durant tout le repas, Joe ne prononça pas un mot. Il paraissait écouter la conversation, mais je savais qu'il avait l'esprit ailleurs. Le regard de ses yeux gris était tourné en dedans. Je me sentais très humble, près de lui, conscient de l'irrémédiable solitude de sa douleur.

Je l'accompagnai ensuite jusqu'au Palais royal. Il y avait déjà déposé ses bagages. Un camion allait le conduire à Capoue où il voulait passer ses deux derniers jours de liberté avec son amie l'infirmière. De Capoue, il rejoindrait directement Sessa Aurunca et son unité.

Nous nous séparâmes sur quelques paroles banales. Mais lorsque le camion démarra et que Joe se pencha à la portière en disant : « A bientôt », l'idée me vint — trop tard — que je le voyais pour la dernière fois, et j'agitai aussitôt la main avec une frénésie qui dut lui paraître étrange.

Regarde, je suis bien Béatrice.
Comment as-tu enfin daigné venir
[jusqu'à ce mont ?
Ne savais-tu pas qu'ici l'homme est heureux ?

ASSIS sur le fauteuil devant le feu, je lisais des pages de *La Divine Comédie* dans une belle édition du XVIIe siècle aux armes des ducs de Liri. J'étirai les jambes, allumai une cigarette. « Ne savais-tu pas qu'ici l'homme est heureux ? » Je promenai mon regard sur les rayons de livres, sur le lit, sur les coquillages rares, tous contournés, mouchetés, ou ornés de griffes, de peignes, d'yeux fixes et bleuâtres. Je les trouvais beaux et bizarres comme certains rêves des nuits d'alcool. J'avais la certitude que je pourrais vivre enfermé dans cette pièce durant des années avec Silvia. Pour vivre, je n'avais besoin de rien d'autre. Elle suffisait à combler mon cœur et mon âme, à assouvir mes aspirations et mes désirs, à réduire à de petites ombres ridicules tout ce qui avait donné un sens à ma vie, à effacer les préjugés, les principes, les ambitions qui m'avaient dirigé jusque-là ! Je me levai, me penchai sur le lit, sur la place de Silvia, plongeai mon visage dans l'oreiller pour y retrouver le parfum lointain de ses cheveux. Ensuite je m'allongeai sur le dos, contemplai une de ses photos récentes. La robe sombre, serrée à la taille, avec la jupe en fourreau, moulait ses hanches, ses cuisses rondes. Un mince collier de pierres brillantes retombait sur son décolleté, semblait donner à la chair un éclat satiné. Elle avait ce jour-là adopté une coiffure en bandeaux qui dégageait ses oreilles petites et délicatement ourlées. Comme tout en elle me ravissait : les mains longues, la fossette au milieu du menton, les fines ailes du nez, les cils veloutés, la bouche à la lèvre inférieure pulpeuse et ce regard plus assuré, plus profond, depuis qu'elle était femme ! Il semblait m'observer avec une nuance de tendre et orgueilleuse complicité. Le même regard que celui de l'autre soir, lorsque je reconnaissais le chemin de fuite, penché à l'extrémité du dernier étage... Je lui avais dit que je voulais porter toujours sur moi une photo d'elle. Au dos, elle avait écrit deux mots de son écriture haute et pleine : « *sempre tua* ». Ah ! j'étais prêt à admettre qu'il y avait dans la passion un caractère de fatalité comme pour certaines maladies et je pensais avec ironie que les militaires feraient bien de réformer les hommes atteints du mal d'amour comme ils le font pour ceux atteints de démence.

Avant de partir chez Castanier — qui m'attendait vers sept heures — j'occupai un long moment à écrire une lettre à Silvia, une lettre en italien parce que l'italien était devenu pour moi la langue même de la tendresse. Je laissai les feuillets bien en vue sur la table.

Dehors, il pleuvait. Dans la grisaille du soir, les parapluies tout luisants d'humidité glissaient comme de sinistres poissons noirs. J'avais froid et je regrettais de ne pas avoir refusé cette invitation qui d'avance m'ennuyait.

CASTANIER habitait dans un immeuble ancien de la via Ascensione, non loin de l'Aquarium, un vaste appartement d'où l'on avait vue sur le Pausilippe et sur un coin de mer. Mais ce crépuscule pluvieux écrasait les collines en une haute falaise noire, sinistre, angoissante. A Mergellina, un petit feu rouge brillait au ras de l'eau comme l'œil même de la guerre.

Castanier ferma les persiennes, tira les rideaux, alluma les lampes et servit du whisky. Le poêle à gaz répandait une chaleur bienfaisante. Je bus sec pour résister à une tristesse vague qui me gagnait.

L'appartement avait été occupé par un dignitaire fasciste qui s'était enfui vers Rome au moment de l'offensive alliée sur Naples. Les meubles de la pièce où je me trouvais, d'un modernisme agressif : long divan bas, chaises de cuir rouge à monture nickelée, table de verre sur pieds métalliques, me déprimaient tant ils évoquaient insidieusement un décor chirurgical. Sur un petit socle, entre deux portes, une armure Renaissance, à visière pointue, ajoutait à mon malaise. Ce fantôme semblait surtout attentif à mes propos, de sorte que je devins de plus en plus laconique. Je regardai avec dégoût ses deux gantelets qui ressemblaient à deux écrevisses. Au deuxième whisky, ce bonhomme impavide qui avait deux écrevisses d'acier en guise de mains me rendit nerveux. Je lui tournai le dos. Alors j'eus en face de moi un tableau « non figuratif », composé de filaments pourpres, roses et blancs, tout emmêlés, comme un magma d'intestins.

« Intéressant, n'est-ce pas ? dit Castanier, debout, verre en main, et qui avait suivi mon regard.

— Hara-kiri, dis-je.

— Plaît-il ?

— J'imagine que c'est le titre de cette toile. »

Je commençais à avoir la tête lourde. Je savais ce que je voulais faire. Je me dirigeai vers l'armure, soulevai la visière, aspirai une bouffée de ma cigarette et soufflai à l'intérieur du casque. Je refermai et admirai la fumée qui sortait lentement par les trous à l'endroit des yeux. Castanier m'avait observé avec amusement.

Il me confia ensuite — Dieu, comme il éprouvait le besoin de se raconter ! — que, dès son arrivée à Naples, il avait réquisitionné sur le port un dépôt d'étoffes. Le dépôt devait servir au matériel de son service. Lui, Castanier, avait profité de ce qu'il fallait déblayer la place pour écouler au prix fort les draps et les coupons à des marchands de la via Chiaïa, enchantés de l'aubaine et sûrs d'y trouver aussi leur compte.

Je comprenais mieux comment il pouvait se loger si somptueusement — venez voir la bibliothèque, mon cher ! — et garder pour lui seul, dans cette ville surpeuplée, un appartement d'une dizaine de pièces.

« Pas tout seul, pas tout seul ! » dit Castanier avec malice.

Au bout d'un couloir, il frappa à une porte. Une jeune femme ouvrit, une main en l'air pour faire sécher ses ongles. L'odeur d'acétone semblait émaner de son corps, libre sous le pyjama de soie rose, la fleur sombre des seins nettement marquée en transparence.

« Gina », dit Castanier.

La fille s'inclina froidement.

« *Mi amico Serge...* »

Même petite inclination du buste.

« Elle nous rejoindra à table. » (Ceci en français pour moi.) « Dépêche-toi, mon pigeon. » (Ceci en italien pour elle.)

Ensuite, il m'entraîna dans la cuisine. Trois autres jeunes filles s'y affairaient, minces et brunes comme la première et sensiblement du même âge : une vingtaine d'années.

« Voici Angela, Elena, Mariflor... »

Elles me saluèrent timidement. Seule, Elena souriait d'un petit sourire rentré, vaguement moqueur. Elle avait un visage rond, des joues fraîches de paysanne et portait des boucles d'oreilles en pâte de verre qui lui venaient jusqu'aux épaules.

« Est-ce pour bientôt ? demanda Castanier. *Molto tempo ?*

— *No, signor. Cinque minuti.* »

C'est Angela qui avait parlé, un nez impertinent, des bras nus et d'une ligne pure. L'œil gris et audacieux.

Pour occuper ces quelques minutes, Castanier me fit visiter une galerie étroite à l'autre extrémité de l'appartement. Elle abritait une collection d'armures qui alternaient avec des panoplies d'épées, de poignards et de stylets qui brillaient férocement à la lumière des ampoules. Castanier voulut me faire apprécier les ciselures sur certaines lames et les belles damasquinures de casques ou de jambières dans le goût tolédan. Mais j'avais l'esprit tourné vers les petites Napolitaines qu'il m'avait présentées. Sur une cuirasse, une Gorgone dardait sur moi ses prunelles irritées. Cette figure me retint. Puis Castanier me mit entre les mains une dague florentine, à manche d'argent gracieusement ouvragé contrastant avec l'acier nu, aigu et cruel.

« Je me la réserve, dit-il en souriant.

— Toute cette quincaillerie appartient à votre prédécesseur ?

— Oui.

— Et... les filles ?

— Collection personnelle...

— Je vois... »

De nouveau le couloir, puis un salon. C'est là que la table était dressée. Les quatre Napolitaines attendaient, assises ou à demi allongées sur des divans. Toutes en pyjamas légers. Une seule avait passé un étroit tablier blanc pour soubrette de théâtre. Elles bavardaient en nous attendant. Des tapisseries claires, deux miroirs de Venise ornaient les murs. Et partout, une profusion de coussins. Il régnait là une atmosphère quiète et sensuelle de harem, avec des chuchotements, des petits rires agacés, des sourires furtifs et malicieux.

« Compliments, dis-je à mi-voix.

— Vous pouvez parler librement, répliqua

Castanier, satisfait de l'effet produit, elles ne connaissent pas un mot de français.

— Des professionnelles ?

— Pas du tout. Une ouvrière, une dactylo, deux employées de magasin.

— Le pyjama rose, c'est la dactylo ?

— Non. Gina est couturière. Elle attend la fin de la guerre pour se rendre à Rome. Elle espère y faire du cinéma. »

La fille comprit qu'on parlait d'elle et leva sur moi ses yeux trop savamment fardés, des yeux sombres au regard froid, intelligent, teinté d'une certaine insolence.

« J'ai eu ici jusqu'à six « pensionnaires », dit-il. La place ne manque pas et, disons que j'ai des goûts orientaux... (Petit sourire complaisant.) Elles partent, elles reviennent, seules ou accompagnées d'une amie...

— La faim est terrible à Naples, dis-je, et je vidai mon verre de vin.

— Oui, oui, mon cher... Mais d'autre part plusieurs femmes vous empêchent de vous laisser capter l'attention et les sens par une seule.

— Aucun danger pour vous, dis-je. Il y faut une qualité de cœur que vous ignorez... »

Il prit ma réflexion comme une bonne plaisanterie et se tourna vers sa favorite :

« Vraiment, je n'ai pas de cœur, Gina ? » demanda-t-il en italien.

Gina me regarda d'un air sérieux et ne répondit rien.

Les autres filles aussi m'observaient comme si elles devinaient ma mauvaise humeur et pressentaient un éclat. Au contraire, Castanier avait l'ivresse joyeuse.

« Ces demoiselles entretiennent la maison,

lisent, jouent aux cartes ou écoutent des disques en m'attendant. Et le soir, elles me tiennent compagnie. Vous voyez ce que je veux dire... »

Sans doute voulait-il éveiller en moi de l'admiration ou de l'envie, ou simplement assurer sa réputation de libertin et de jouisseur. Il s'efforçait de réduire ma morosité en redoublant de prévenances, de jovialité. Un vin de Salerne, tout ensoleillé, provoqua de meilleurs résultats. Dès ce moment, je me surpris à écouter avec plus d'indulgence les propos de Castanïer, tout en bataillant contre une cuisse de poulet. Castanier entamait l'éloge de Mussolini.

« Sans la guerre, pensez jusqu'où il aurait pu conduire l'Italie ! Soyons justes. D'un pays pouilleux et arriéré, oublieux de son passé prestigieux, il avait déjà fait une nation forte, respectée, disciplinée. Son génie a failli, malheureusement, lorsqu'il s'est laissé entraîner à la remorque de Hitler. »

Les filles mangeaient silencieusement, étrangères à notre conversation. Gina prenait des mines délicates de chatte. Elena avait l'appétit beaucoup plus plébéien. Sa mine désolée lorsqu'elle se fit une petite tache d'huile sur son pyjama !...

« Le fascisme, continuait Castanier, convient parfaitement à nos pays méditerranéens, il faut le reconnaître. A des pays comme l'Italie, l'Espagne, la France, la Grèce, sans parler de l'Afrique du Nord, dont toutes les populations ont une inclination prononcée pour l'individualisme anarchique, la paresse, les palabres stériles... Et puis, le fascisme est humain, cohérent, équilibré. Il ne contient pas ces théories raciales abracadabrantes de l'hitlérisme. Je ne parle pas de ce qui concerne les Juifs, bien entendu, mais de cette prétendue supériorité des Aryens sur nous, Latins, par exemple... »

J'étais placé en face de lui, entre Elena et Mariflor. Il avait, lui, Angela à sa gauche et Gina à sa droite. Au milieu de la table, dans une coupe de cristal, des fruits s'amoncelaient, oranges, pommes, mandarines... Je tendis ma fourchette par-dessus la coupe en direction de Castanier :

« J'ai un ami juif qui vous casserait la figure s'il vous entendait, dis-je en riant sardoniquement, car le petit vin de Salerne m'échauffait les nerfs.

— Permettez, dit Castanier, je n'ai rien personnellement contre les Juifs ! Avouez cependant qu'ils s'intègrent mal dans...

— N'avouez jamais ! dis-je d'un ton féroce. Mais il faudra que je vous présente un jour à mon ami Joe !

— Permettez...

— A mon ami Joe Cohen ! Croix de guerre avec palme, nom de Dieu ! »

Je tendis mon verre à Mariflor qui le remplit de vin avec tant d'application qu'elle sortait un petit bout de langue rose.

« *Grazie, signorina...*

— *Prego...* »

Son décolleté montrait un joli grain de peau. J'aimais aussi son front étroit, ses bonnes grosses joues...

« Bien sûr, ajoutait Castanier, mais votre ami Cohen, en sa qualité de Juif, a des raisons impérieuses de se battre ! Il me paraît logique qu'il...

— Si Joe Cohen était là il vous casserait la gueule ! » dis-je encore avec une conviction obtuse. Bon sang, ce que je regrettais qu'il ne fût pas là ! Pauvre Joe ! Livré à son chagrin ! Et moi qui dînais avec ce type ! Comment avais-je pu échouer là ! Et Silvia qui avait peut-être rejoint notre maison ! J'avais de plus en plus mal aux tempes, et dans mon crâne s'était tapi un petit animal griffu, tout haletant.

On avait servi des pommes de terre rôties. Je dus réprimer l'envie de les lancer à la tête de Castanier, une à une, comme au jeu de passe-boules.

« Vous avez raison, disait-il. Mieux vaut ne pas parler de politique. »

Je me mis à faire des compliments à Mariflor pour sa cuisine raffinée. Oui, oui, « raffinée » ! Je maintins le mot.

« Il est ivre, complètement ivre ! » s'exclama Castanier d'un ton réjoui.

Mariflor avait pris un air modeste.

« Vous êtes une chic fille, lui dis-je en italien.

— Et elle a un coup de rein talentueux, mon cher ! » dit encore Castanier en débouchant une nouvelle bouteille qu'il brandit ensuite au-dessus de la table, cherchant mon verre, la mine affairée, l'œil étincelant.

« Vous autres, hauts fonctionnaires du gouvernement général de toutes les Algéries, vous êtes tous pourris ! »

Castanier s'esclaffa :

« Pourquoi, diable ? Voudriez-vous nous remplacer par des enfants de chœur ? »

J'avais choisi dans la coupe une pomme que j'hésitai à lui lancer à la tête, mais Mariflor m'ayant capturé le poignet, mordit dans le fruit, puis repoussa ma main pour m'inviter à mordre à mon tour.

« Il ne manque même pas le serpent ! » dis-je, charmé.

Je tendis ensuite la pomme à Elena, à ma droite, Elena plus réservée, un peu maigrichonne, mais dotée d'une chevelure soyeuse que je caressai en souriant. Je terminai de croquer la pomme tandis que Castanier quittait la table, allait se jeter sur un sofa en entraînant Gina. Il l'attira contre lui, me dit en riant :

« Il faut savoir être vainqueurs ! »

Mariflor préparait des liqueurs sur un plateau. Je sortis un paquet de cigarettes, le présentai à mes deux compagnes.

« Les Italiens, dit Castanier, tout en pressant un sein de Gina, n'ont que ce qu'ils méritent pour nous avoir poignardés dans le dos !

— Les Italiens sont entrés dans cette guerre contre leurs sentiments réels. Seuls, les fascistes sont responsables.

— Avant notre arrivée, ils étaient tous fascistes ! »

Il tenait un verre de rhum dans sa main droite et de l'autre il continuait à caresser la gorge de son amie, et Gina se laissait faire, tout en fumant d'un air absent, les jambes repliées sous sa croupe.

« Allons, nous avions décidé de ne plus parler de politique. Parlons de femmes, Serge ! Elles seules peuvent nous faire oublier cette sale guerre ! Buvons à ces beautés qui nous consolent et nous charment ! »

Il rit, la tête renversée, le bras tendu et le verre de rhum brilla dans son poing avec un bref éclat. Mariflor s'était approchée de moi avec son plateau. Elle était la plus grande des quatre, la plus vulgaire aussi, avec le nez légèrement épaté, le pli des lèvres un peu veule, le menton court, les mains trop fortes. Mais elle avait en revanche des formes pleines, richement épanouies, les seins larges et durs, les hanches et le ventre ronds des Vénus archaïques. Je la priai de me servir du whisky. Je voyais mal à présent le visage de Castanier, brouillé par la fumée des cigarettes. Il cria :

« Bien entendu, mon cher, vous pouvez disposer d'une de ces trois mignonnes à votre choix. Ou des trois ensemble si le cœur vous en dit ! Et quand je parle du cœur ! »

Il s'esclaffa de nouveau, fit un geste et dans sa main le verre, cette fois, émit une sorte de signal optique.

« Vous traitez ces filles comme des putains, dis-je toujours assis au bout de la table entre Elena et Mariflor qui ne comprenaient rien à notre dialogue.

— Tous les Italiens sont des larbins ou des putes ! » dit-il gaiement.

Je frappai du poing sur la table. Les cristaux tintèrent. Une orange dégringola de la pile de fruits et roula entre les assiettes.

« Répétez un peu !

— Qu'est-ce qui vous prend ? dit-il, pas le moins du monde alarmé.

— Retirez ce que vous venez de dire ! »

Je m'étais levé. Les filles me regardaient avec un certain effroi. Seul, Castanier ne se rendait pas compte de mon état réel. Il dit en italien à Gina :

« N'est-ce pas que vous êtes tous des larbins ou des putes ?

— Evidemment, dit Gina du ton le plus naturel.

— Gina ! s'exclama Angela d'une voix chargée de surprise et de reproche.

— Mais, ma chérie, c'est vrai aussi des Français ! »

Alors Castanier triompha :

« Vous voyez ! Vous voyez ! »

Il riait de bon cœur et félicitait sa favorite d'une repartie aussi amusante. Moi, les coudes sur la table, j'avais pris ma tête à deux mains. Je comprenais clairement que je ne pouvais dominer ou contrôler cette irritation qui m'enflammait. Mieux valait donc partir. Mariflor m'avait mis la main sur la nuque. Je me levai. Bien sûr, la pièce n'était pas tout à fait stable et les murs avaient tendance à se balancer.

« Salaud ! » dis-je avec force. Et je dus tout de suite me rattraper à la chaise.

« Serge !

— Vous êtes une ordure, mon petit Castanier !

— Vous allez boire du café fort ! dit-il sans trop s'émouvoir.

— Un pourrisseur !

— Permettez ! »

L'une des filles, peut-être Mariflor, tenta de me faire asseoir, mais je l'écartai. Gina semblait inquiète à présent.

« Vous me répugnez ! criai-je encore, les deux mains à plat sur la table, le buste en avant.

— Il est complètement parti ! fit Castanier en me considérant cette fois d'un air de contrariété.

— Pourrisseur ! »

Le mot me plaisait parce qu'il me permettait, en gonflant les joues, de le prononcer comme si je crachais. Aussi le répétai-je à plusieurs reprises, mais moins pour sa signification que pour cet effet.

« Serge, je vous en prie ! »

Il paraissait outré de ma conduite, mais c'était pure comédie. Il désirait ne pas envenimer l'incident, espérait que je ne tarderais pas à me calmer.

« Et penser que j'ai tiré sur des nazis ! Sur vous aussi, je devrais tirer ! »

Ici, je pris une fourchette, la portai à hauteur de mon œil comme si je tenais un minuscule fusil et visai Castanier :

« Papapan !

— Serge !

— Vous pouvez crever ! »

Et je sortis d'un pas que je m'efforçais de rendre digne et noble. Il me semblait en marchant que je déchirais le silence de la pièce comme une gigantesque toile d'araignée.

Dans la rue, le vent noir, chargé d'eau, me rafraîchit la figure et je descendis vers la Riviera di Chiaïa, toute proche. Deux M.P. m'accrochèrent, me firent remarquer que j'allais tête nue, le manteau jeté sur l'épaule, ce qui n'avait rien de très réglementaire.

« Feriez mieux de monter au front ! On y manque de durs dans votre genre ! Au lieu d'emmerder les permissionnaires ! »

Je parlai en français et, heureusement, l'Américain ne comprit rien à mes propos.

« Documents », dit-il.

Je lui remis mes papiers qu'il examina à la lumière rouge d'une petite torche électrique.

Son compagnon m'aidait obligeamment à passer ma capote, à la boutonner. C'est lui qui trouva mon calot dans une poche. Il me le tendit, vérifia que je ne le coiffais pas à l'envers.

« Vous me rappelez ma mère. Vous allez me faire pleurer, dis-je d'un ton acerbe.

— *Well !* » fit le M.P. à la lampe.

En général, ils se montraient indulgents pour les blessés en congé de convalescence. Je repartis, outré.

—

JE traînai le long des parapets de la via Nazario Sauro, j'écoutai les vagues exploser contre les rochers. La ville entière était invisible, ensevelie sous une masse immobile de ténèbres. Dans le port, le feu vert d'une vedette se mit à errer, funèbre et désolé comme une âme de noyé. Toute cette journée avait pour moi un sens, mais je ne parvenais pas à le démêler, à le fixer, tant la moindre pensée, sous l'effet de l'alcool, se diluait, se dérobait dans mon esprit fourbu.

Lorsque je rentrai à la maison, Silvia était déjà couchée et ma lettre, sur la table, avait disparu. Je fis ma toilette, baignai longuement mon visage en feu et me glissai entre les draps en m'efforçant de ne pas déranger Silvia ni troubler son sommeil. Mais elle sentit ma présence, se retourna, se blottit contre moi en murmurant des mots de tendresse. J'éteignis la lampe et restai longtemps éveillé dans l'obscurité. Certains sentiments avaient germé en moi comme des fleurs noires qui me faisaient peur. Avant tout, je refusai que Silvia souffrît, qu'elle doutât, qu'elle perdît son émouvante confiance dans l'avenir.

Je fis cette nuit-là un cauchemar : Castanier me poursuivait à travers les vastes avenues — désertes — d'une cité labyrinthique, et je frappais en vain à la porte d'une maison où habitait Joe qui ne m'entendait pas.

Le lendemain, après nos jeux habituels, Silvia me confia ses soucis de la journée passée. Elle évoqua une fois de plus le vrai drame de sa tante, la lamentable fin d'un amour et le mépris qui le chassait du cœur. Elle avait le visage nu, sans le moindre fard, ce qui lui donnait une finesse plus aiguë, plus sensuelle.

Je me levai, allai chercher du bois. Les provisions s'épuisaient dans les réserves, car chaque jour nous n'avions cessé d'allumer de grands feux. Mais avec le printemps, la température s'adoucissait. J'eus du mal, cependant, à réunir une quantité suffisante de bûches et je glanai au passage des morceaux de lattes, des débris de meubles et de fenêtres.

Lorsque je fus de retour avec ma charge, Silvia prenait son bain. Son expression concentrée lui donnait, avec ses cheveux mouillés, aplatis sur la tête, un profil d'adolescent boudeur. J'admirai ses épaules qu'elle savonnait lentement. La mousse formait une sorte de collerette et tout son buste semblait couvert de perles.

Elle m'aperçut, me sourit d'un air malicieux, et de ma main libre je lui envoyai un baiser.

Alors je m'aperçus qu'en mon absence elle avait rangé dans une valise tous mes vêtements militaires. Comme je m'en étonnai, elle me dit tout en passant un peignoir :

« Mais, dès demain, il ne sera guère prudent de les garder ici. Mieux vaut nous en débarrasser aujourd'hui même !

— Tu penses à tout ! »

Hé, c'est qu'elle ne jouait pas ! Et elle avait réfléchi sérieusement à tous les aspects de notre problème !

« Je sais comment les faire disparaître », dit-elle.

Détruire mon uniforme était le premier acte qui concrétisait notre projet. Je dissimulai mes sentiments, j'approuvai Silvia et dis que je me chargeais moi-même de l'opération.

« Comme tu voudras. »

Elle partit pour la librairie et je redescendis à l'étage au-dessous, rangeai soigneusement mes effets militaires dans une grande armoire épargnée.

Je constatai que j'avais omis d'informer Silvia des quinze jours supplémentaires dont je bénéficiais. Pourquoi cette duplicité ? Je me découvris l'âme basse et je passai des heures à marcher de long en large dans la chambre, en fumant nerveusement. Je m'accusais de versatilité, d'hypocrisie, de lâcheté, mais lorsque je rejoignis Silvia je ne lui révélai rien de mon secret.

Dans le scénario qu'elle avait préparé, cette soirée devenait pour nous la dernière de complète liberté. Ensuite commencerait l'aventure dangereuse, exaltante, pour préserver notre amour. Nous dînâmes dans un petit restaurant de la Piazza Carità après une promenade dans les vieux quartiers interdits aux soldats alliés. Comme j'étais en costume civil, je pouvais narguer les patrouilles de M.P. (Le costume de l'oncle Massini m'allait bien, et Silvia n'avait dû y apporter que d'insignifiantes retouches.)

Lorsque nous retournâmes à la maison, je me montrai nerveux, instable, mais ce comportement parut à Silvia tout à fait explicable. Elle me dit en arrivant qu'elle passerait la journée du lendemain avec moi, qu'elle ne me laisserait pas seul, qu'elle négligerait la librairie et elle me prit les mains, les baisa, les appliqua sur sa gorge.

J'étais violemment ému, et elle en était très consciente, s'ingéniait à accaparer tout mon esprit, à ne pas m'abandonner à mon obsession. « Tout sera facile, tout sera facile », murmurait-elle passionnément à mon oreille. Mais je me sentais honteux et désespéré de la tromper ainsi, d'abuser de sa confiance, de son courage, de sa tendresse ! Je me jugeais aussi corrompu que Castanier ! Je trahissais le sentiment le plus rayonnant qui eût illuminé une vie d'homme. J'étais meurtri, torturé. Je m'accusais d'être seul responsable de cette impasse où je venais de me fourvoyer.

« Mais, chéri, dit Silvia qui se méprenait sur mon mutisme, sur ma tristesse, dans quelques semaines, après l'offensive de Cassino — oui, oui, celle-ci réussira ! — tu pourras de nouveau sortir, trouver un emploi. La guerre ne va pas durer éternellement ! »

Et moi, je ne savais que répondre. Comment affronterais-je le désarroi de Silvia ? Quelle effroyable désillusion pour elle, étroitement enfermée dans sa passion, si je lui révélais que certains remous, la veille, m'avaient troublé le cœur, que certaines réalités s'étaient imposées à mon esprit, et que je renonçais ?

« C'est la seule solution », insistait Silvia, serrée contre moi sur le fauteuil.

Les bûches donnaient de hautes flammes, échevelées, palpitantes.

« C'est la seule solution... »

Et de nouveau, elle prononçait ces mots de feu qui faisaient le désert autour de nous. Tout son corps frémissait d'ardeur. Ah ! Silvia, Silvia, que le bonheur est cruel ! Et je m'abandonnais, fermais les yeux pour regarder mon âme cheminer, lasse et défaite, par de longs, d'obscurs corridors.

sent, de ne jamais songer à l'avenir, un avenir si proche et chargé de menaces. A l'idée de perdre Silvia, un désespoir aigu me traversait le cœur. Je me disais de nouveau que la guerre pouvait miraculeusement finir d'une minute à l'autre. Une maladie foudroyante tuerait Hitler ! Ou un attentat réussirait qui le réduirait en bouillie ! Ou les Soviétiques lâcheraient sur Berlin des milliers de parachutistes qui en un clin d'œil paralyseraient la résistance allemande !

Mais lorsque Silvia se trouvait avec moi, j'oubliais ma situation étrange et les scrupules qui me déchiraient. C'est que Silvia « brûlait » littéralement et me communiquait souvent sa fièvre et dans les longs moments de délire amoureux qui précédaient nos étreintes, elle m'assurait qu'elle se perdait en moi comme une pluie dans la mer, ou qu'elle ne vivrait plus si je la quittais, oui, je devais la croire, et je la croyais, puisque moi-même je me sentais poignardé à la seule idée de la perdre !

Silvia ne parlait jamais des risques que je courais, mais elle y pensait sans cesse. Un matin, alors qu'elle allait partir pour la librairie, nous entendîmes des bruits de pas. La cage d'escalier était extrêmement sonore. J'écoutai et calculai que trois personnes montaient les étages. J'étais inquiet à cause de mon uniforme caché dans l'appartement du dessous. S'il s'agissait des locataires ! Or, Silvia s'était jetée contre moi, me regardait avec une intensité effrayante. Ses lèvres tremblaient et j'eus pitié d'elle, je tentai de la rassurer, je la serrai sur ma poitrine, attendri, bouleversé, jusqu'à l'instant où les inconnus atteignirent le troisième étage en parlant très fort. Silvia ferma les yeux. Elle était pâle, et je devais l'être aussi.

« Ce sont les Severini. Ils viennent parfois pour une journée ! » dit-elle à la fin.

Je lui caressai doucement les cheveux.

« Dieu ! que j'ai eu peur ! ajouta-t-elle. Et toi aussi, mon chéri !

— Moi aussi », dis-je d'un ton neutre.

Elle se haussa sur la pointe des pieds, me baisa les paupières et sourit avec ironie, soulagée dès à présent, de nouveau assurée, vaillante.

« Fausse alerte ! » dit-elle encore en refermant son manteau.

Comme je ne me déridais pas, elle mit cette gravité sur le compte de l'émotion. En vérité, j'étais écœuré de moi-même et, demeuré seul, je me mis à rédiger une confession absolument folle que je jetai au feu sans même la terminer. Et à qui me confier ? A qui demander conseil ? J'étais seul à me débattre, livré à moi-même pour trouver une issue ! Et comment sortir de ce labyrinthe sans atteinte pour notre amour ?

Parfois je confiais à Silvia combien me pesaient la solitude et l'attente, alors elle me suppliait de patienter, elle redoublait de prévenances qui m'attendrissaient, se montrait plus complaisante encore et caressante. Parfois je lui disais mes scrupules de vivre ainsi à ses dépens, mais elle me rappelait que je lui avais remis tout l'argent que je possédais et que j'allais bientôt l'aider dans son travail et que, de toute façon, il ne s'agissait que d'une période de transition, d'une situation provisoire. Elle avait réponse à tout. Cependant, il m'arriva, une ou deux fois, de me montrer insouciant et même enjoué, ce qui parut la satisfaire comme si je fournissais la preuve que j'avais enfin accepté mon sort, fait taire mes scrupules et dominé la crainte des risques que j'encourais.

COMME les exercices recommandés par le médecin ne suffisaient pas pour combattre l'ankylose de ma hanche, je décidai, un après-midi, de faire une longue promenade. Le ciel était si lumineux que je choisis de marcher jusqu'à Mergellina le long de la mer. Bien entendu, je pris des précautions de cambrioleur pour m'évader par la porte de service sans attirer l'attention de la brave Ottavia.

A la hauteur de Santa Lucia, la vue de deux M.P. me fit sauter le cœur. Tout de suite, je m'amusai de cette réaction. J'avais le droit de me mettre en civil et mes papiers étaient en règle. Mais ces quelques jours de vie recluse avaient curieusement usé mes nerfs.

Le costume de l'oncle Massini se révélait encore bien léger pour la saison, mais n'importe, je pris plaisir à flâner, à regarder les pêcheurs entretenir leurs barques et leurs filets. Les autorités alliées leur avaient interdit toute sortie en mer. Ils utilisaient donc ces heures de désœuvrement forcé sur les quais à palabrer, à bricoler, à se chamailler et les plus jeunes à courtiser les filles.

Au retour, je passai à l'imprimerie où Chanderli m'offrit un exemplaire récent d'un quotidien d'Alger. Le soir, tandis que Silvia préparait le dîner, je m'aperçus avec terreur que le journal était resté dans la chambre, plié, mais bien en vue sur la table. A lui seul, il fournissait la preuve que j'étais sorti et même que j'avais rencontré un compatriote.

De toute façon, je ne pouvais nier que je m'étais aventuré hors de mon refuge. J'éprouvai une légère panique vite dominée par l'idée que si j'étais découvert, la crise se dénouerait enfin, puisque aussi bien elle était inévitable. J'épiai les moindres gestes de Silvia avec une intensité qui me rendait les tempes douloureuses. A plusieurs reprises, Silvia frôla la table sans rien remarquer. Je profitai d'un instant où elle rejoignit la cuisine pour jeter la feuille dans la cheminée. Cela fit une grande clarté, et j'eus l'impression que quelque chose en moi s'était de la même manière carbonisé.

Ce soir-là, nous parlâmes longtemps au coin du feu, assis sur le parquet, les jambes repliées. Des lueurs jouaient sur le visage de Silvia, sur ses bras, leur donnaient une teinte chaude d'abricot.

Je fis ma première tentative — oh ! si timide — pour la préparer à cette vérité que je lui avais cachée jusque-là. Prudemment, je commençai à lui dire que nous avions entamé une partie difficile.

« J'ai confiance, répliqua-t-elle. Nous réduirons un à un tous les obstacles. »

J'évoquai ensuite ce que Joe m'avait appris, mais elle ne détourna même pas les yeux vers moi, non qu'elle fût insensible mais parce qu'elle s'était trop enfoncée dans un sentiment absolu qui l'isolait de la terre entière.

Elle m'interrompit soudain pour me montrer le feu.

« Regarde, dit-elle. L'amour est comme deux flammes qui se rapprochent et ne font qu'une. ».

Je m'exclamai :

« Mais tu retrouves là une image de sainte Thérèse d'Avila ! »

Elle rit et j'ajoutai que sainte Thérèse, il est vrai, parlait d'un autre amour. Silvia répliqua qu'elle ne voyait pas de différence et tout se termina dans les caresses et les baisers.

Le lendemain, en l'absence de Silvia, je repartis après déjeuner pour une marche jusqu'à San Martino. Mais je n'avais pas prévu qu'Ottavia se trouverait installée devant le porche et je dus me rejeter en arrière, attendre sous l'escalier qu'elle retournât dans sa loge. Peut-être avait-elle perçu le craquement des marches sous mes pas ? Je l'entendis traîner ses savates dans le corridor qui reliait l'entrée de service à l'entrée des maîtres. Finalement, je pus me faufiler dehors.

Cependant, que la vieille pût me découvrir, dénoncer à Silvia mes sorties, empoisonnait mes heures de flânerie à travers la ville. Les jours passaient. Je devais me décider, affronter une explication avec Silvia mais je prenais peur, vaincu d'avance à l'idée de ses larmes, de son désespoir. Et quelles seraient ses réactions ? Comment les prévoir ?

Et toujours je me raccrochais à cet espoir insensé que la guerre pouvait cesser d'une heure à l'autre. Est-ce que, depuis Stalingrad, les Allemands ne pliaient pas sur tous les fronts ?

« *Sciuscia ! Sciuscia !* » criaient les petits cireurs en harcelant des soldats américains devant la Galleria.

Comme chaque fois, je me rendais au journal, en quête de nouvelles. Chanderli me présenta un jeune Alsacien qui, enrôlé de force dans l'armée allemande, avait déserté cinq jours plus tôt. Il avait mis à profit une faction dans un poste avancé pour gagner nos lignes. A peine vingt ans. Un visage osseux, des yeux clairs. « La première fois que ma mère m'a vu sous l'uniforme nazi, elle a pleuré. » Il me parla des déportations, de la chasse aux Juifs, des S.S., de tout un univers de violence, de cynisme et d'abjection qui confondait l'intelligence.

Je rentrai avant la nuit, me glissai dans la maison en surveillant le porche, grimpai l'escalier à tâtons en comptant soigneusement les marches dans l'obscurité pour éviter de faire craquer les cinquante-troisième et soixante-huitième que le bombardement avait délabrées. Dans la cour, les chiens se taisaient. Cependant, certains d'entre eux, j'avais pu le vérifier par le trou des anciennes verrières, levaient le museau dans ma direction comme s'ils avaient voulu discrètement me désigner à quelque observateur à l'affût.

Je m'étais installé devant le feu, dans l'attitude abandonnée d'un homme qui n'a pas quitté sa maison de la journée et, une cigarette aux lèvres, je pensais à l'Alsacien. Silvia entra, s'assit tout contre moi après s'être débarrassée de sa toque et de son manteau en les lançant nerveusement sur le lit. Elle me confessa tout de suite cette peur panique qui s'emparait d'elle à la librairie, en pleine rue, à la pensée de ne pas me retrouver au retour. Elle se sentait défaillir simplement à imaginer qu'on avait pu me débusquer, m'arrêter.

« Oh ! je mourrais, je mourrais ! » ajouta-t-elle avec un accent de souffrance si réelle, si vive, si profonde que cette fois encore je reculai.

Elle pleura doucement, la tête sur mon épaule.

Je me rappelais que, lorsque j'étais enfant, je rêvais d'être parfait, j'écrivais dans un carnet mes résolutions les plus fortes : je cesserais de mentir, je subirais l'injustice sans chercher à me venger, je serais pur et dur et mon âme acquerrait un éclat de cristal. Oh ! Silvia, Silvia ! la guerre m'avait changé l'âme, l'avait ternie et je la sentais parfois frémir de haine et de dégoût. Silvia, on m'avait appris à respecter les êtres, à respecter la vie, et je me souvenais d'avoir été malade de remords pour avoir écrasé une araignée sous mon talon. Je n'avais pu surmonter ma répulsion, et la vision me hantait de la petite tache blanchâtre et rose où bougeaient encore les longues pattes mutilées. Silvia, j'étais l'un des hommes parmi les moins préparés à la cruauté, à la violence, et j'étais né dans un monde où dominaient la folie de destruction, la volonté d'humilier et d'avilir !

Je décidai de ne pas parler ce soir-là mais je résolus de le faire sans faiblir la veille de mon départ.

JE laissai donc les choses aller ainsi jusqu'à l'approche du jour décisif. Je continuai à sortir en redoublant de précautions, à fréquenter l'imprimerie du journal *Patrie*, à me promener le long de la Riviera di Chiaïa et je rentrais assez tôt à la maison pour ne pas risquer d'être surpris par un retour prématuré de Silvia. Mais j'étais de plus en plus désespéré, écœuré par ce jeu abject que je faisais durer. Un jour elle m'avait dit : « Les hommes, vous savez seulement mourir. Vous ne comprenez pas que parfois il faut plus de courage pour vivre. » J'avais répondu qu'à mes yeux l'essentiel était de vivre et de mourir en accord avec soi-même. Et aujourd'hui je devais choisir mon chemin à tâtons, comme si j'étais aveugle de l'âme, en me fiant davantage à mon instinct qu'à ma raison. Je comprenais obscurément que je ne pouvais trahir l'homme que j'étais devenu, avec son poids d'amitiés, de souvenirs, d'aspirations et de désirs.

Ce soir-là, après avoir lavé une de mes chemises que j'avais étendue sur la galerie, j'étais occupé à traiter un livre ancien, rongé d'humidité, selon les procédés que Silvia m'avait enseignés. J'avais allumé du feu malgré une température des plus clémentes parce qu'il me tenait compagnie. J'entendis qu'on montait l'escalier. Cinq heures. Ce ne pouvait être Silvia. D'ailleurs, je ne reconnaissais pas du tout son pas. Ni celui d'Ottavia. Peut-être un locataire. Danger que ce fût celui du quatrième étage chez qui j'avais dissimulé mes effets. Au fur et à mesure que le pas grandissait, se rapprochait, la surprise se transformait en une angoisse de plus en plus serrée. Quelqu'un, à présent, marchait sur le palier au-dessous, s'engageait dans l'escalier qui conduisait jusqu'à la chambre ! L'oncle Massini ? Ou le locataire du sixième ? Dans mon esprit mille suppositions tournoyaient comme un vol d'oiseaux affolés ! Je me levai. L'inconnu s'était arrêté devant ma porte. Je me tenais courbé en avant, les nerfs tendus, dans l'attitude d'un homme qui s'attend à être attaqué. Que signifiait cette présence ? Cette intrusion ? La première depuis que je vivais avec Silvia ! Et si c'était l'oncle ? Je m'avançai sur la pointe des pieds. Une voix appela et je la reconnus.

« Serge ? C'est moi ! Joe ! »

Il frappait à petits coups sur les vitres. J'étais si stupéfait que je demeurai figé un instant, sans même songer à lui ouvrir.

« C'est Joe ! Serge !

— Je viens ! »

Et je courus jusqu'à l'entrée.

Il était en blouson kaki, avec casque et guêtres. Je le fis asseoir sur le fauteuil.

« Mission, dit-il. Deux jours. Réception de matériel sur le port... »

Il était venu en jeep avec un autre officier, un capitaine, à ses yeux outrageusement « planqué ». Dès la sortie de Sessa Aurunca, après la rivière, Joe avait pris à travers champ au lieu de suivre la route. Les joues du passager étaient devenues « comme des beefsteaks au bleu ».

« Crainte des mines, dit Joe. Et, naturellement, je lui laissais entendre que tout le terrain en était truffé mais que, « service-service », le devoir était de gagner du temps. Comme ça, le petit père pourra toujours raconter après la guerre qu'il a vraiment connu le danger ! »

Je l'écoutais en silence, atterré par ce que je devinais : il n'avait pu me joindre qu'après avoir rencontré Silvia. D'ailleurs, il m'expliquait déjà son arrivée à Naples :

« Comme tu remontes après-demain toi aussi, j'ai pensé que le mieux était de te prendre à bord avec nous. Le capitaine n'y voyait pas d'inconvénient. Je ne savais pas où te trouver, mais j'ai eu l'idée d'aller prévenir à la librairie Mlle Damiani.

— Tu l'as vue ?

— Sûr...

— Tu lui as dit que je repartais avec toi ?...

— Oui.

— Qu'a-t-elle répondu ?

— Pas grand-chose. Enfin, elle était surprise de me voir. Elle m'a conseillé de venir t'informer toi-même. Elle a dit que tu serais content de ma visite. Des propos de ce genre, quoi. J'ai noté l'adresse et j'ai filé. »

Il alluma une cigarette après m'avoir tendu le paquet.

« En revanche, la concierge, cette vieille

chouette, voulait me faire avaler que tu étais parti ! Je n'ai eu qu'à me pencher pour apercevoir ta liquette qui flottait glorieusement au vent. Je lui ai dit : « Ma belle, il a arboré son pavillon. Il est là. »

— Mais Silvia... Elle ne t'a posé aucune question ?

— Quelle question voulais-tu... Je lui ai dit rapidement que j'étais à Naples pour affaires, que je n'avais pas eu ta chance...

— Quelle chance ?

— Hé, Serge, la chance de voir ma permission prolongée...

— C'est l'expression que tu as employée ?

— Oui. Mais je ne comprends pas ce qui... Ai-je fait une bêtise ?

— Pas du tout, Joe. Pas du tout...

— Tu me rassures. »

Il s'était levé, examinait les livres sur les rayons.

« Dis donc, fit-il, je dispose d'une heure avant de rejoindre l'autre. Si nous allions boire sec? »

J'acceptai, mais surtout pour dissimuler mon trouble. Je connaissais Joe. Il avait dû percevoir l'agitation que ses propos avaient provoquée en moi. Je ne saurais l'expliquer pourquoi, mais je refusai l'idée de sortir avec lui en civil et je le priai de m'attendre tandis que je m'habillais. Je descendis comme j'étais, en veste et pantalon de pyjama, et revêtis dans l'appartement du dessous ma tenue militaire.

Lorsque nous passâmes ensemble devant la loge, j'aperçus derrière les vitres le visage effaré d'Ottavia. Je lui fis un petit signe de la main.

Dans un bar, nous commandâmes du cognac.

Je m'efforçais de poser des questions à Joe — un Joe plus grave, sans sa gaieté habituelle — et j'écoutai avec une intensité maniaque chacune de ses réponses, l'essentiel pour le moment étant de ne pas laisser mon esprit s'échapper vers Silvia, Silvia qui à cette heure savait tout, connaissait mon ignoble mensonge !

« Comment c'est, là-haut ?

— Pas de neige, mais une boue affectueuse. Le reste, sans changement.

— Froid ?

— Assez mordant encore.

— Et leur artillerie ? Elle cogne toujours ?

— A Castelforte, les Fridos ont un commandant de batterie facétieux qui joue à tirer sur la route, avant la dérivation vers l'oued. Dès qu'à la jumelle, il repère la moindre jeep, il fait donner le tonnerre de Zeus. Tu verras le coin avant Sessa : un vrai cimetière de « chignoles » ratatinées. »

J'aurais voulu l'interroger de façon plus serrée sur son entrevue avec Silvia, mais c'était bien inutile. Irrésistiblement ma pensée se tournait vers elle. Je me sentais accablé, le cœur dans un étau. Joe me racontait qu'il avait effectué une mission de reconnaissance au-dessus des lignes à bord d'une avionnette « piper-cup ».

« L'offensive est pour bientôt », dit-il.

Je ne réagis pas. Silvia était peut-être de retour et je ne devais pas m'attarder davantage. Mes mains étaient moites et je m'essuyai machinalement les paumes sur ma vareuse. Joe avait levé son verre et ajoutait de ce ton de bonne humeur forcée qu'à présent il affectait :

« On dirait qu'ils n'attendent que toi, Serge !

JE rentrai à la maison et, pour en finir avec Ottavia, je m'arrêtai dans sa loge, lui expliquai que j'étais revenu pour quarante-huit heures de permission. Mais pour stupide qu'elle fût, un soupçon paraissait travailler lentement son esprit. Elle me regarda de telle manière que je lus dans ses yeux comme un reproche et j'en fus contrarié. Je lui demandai :

« La *signorina* est-elle là ?

— Je ne l'ai pas vue rentrer... »

Je grimpai dans la chambre. Le feu s'était éteint. Une cendre épaisse, du même gris farineux que celle du Vésuve, s'était amoncelée entre les courts chenêts. De l'extrémité de mon brodequin je la creusai distraitement pour y découvrir des braises. J'en trouvai très peu qui bientôt se ternirent. Et Silvia ne venait pas. Je tentai de m'intéresser à un livre, mais si mes yeux suivaient les lignes mon esprit n'en pénétrait pas le sens. Silvia aurait dû me rejoindre depuis vingt minutes au moins. Un certain affolement me gagnait, qui me faisait marcher à travers la pièce, de long en large, en allumant des cigarettes que je jetais, à peine entamées. Je devais agir, la rejoindre à tout prix. Avant de sortir, j'écrivis une lettre tout aussi décousue que celle que j'avais précédemment déchirée. Mais je ne déchirai pas celle-ci et la laissai sur la table. Ah ! que j'avais manqué de discernement, de lucidité, de courage. J'étais responsable de cette situation absurde ! Mais les reproches étaient vains. Il n'était plus temps de rester là, à me frapper la poitrine. Je sortis. Dans la cour, Ottavia donnait à manger aux chiens et aux chats. Elle se retourna sur moi, me suivit un instant du regard.

Je me dirigeai vers la librairie Varella en prenant le chemin que Silvia empruntait habituellement par la via del Duomo et la via Tribunali. Le magasin était ouvert — reliures, papillons, estampes et reproductions de statuettes pompéiennes, rien n'avait changé — mais on me dit que la *signorina* Damiani était déjà partie. Où ? Sans doute chez elle. Je faillis répliquer : pas du tout. J'en sors ! La jeune vendeuse m'observait d'un air ennuyé, sans la moindre curiosité. Dix-huit ou dix-neuf ans. Maigre et la poitrine plate, un cou démesuré mais une expression avenante sur le visage. J'insistai :

« Elle n'a pas laissé une commission ?

— Non. »

Elle était partie sans parler à personne, sans indiquer le moins du monde ses intentions. J'aurais voulu demander : « Etait-elle triste ? » mais c'était là une question oiseuse, superflue. Bien sûr, qu'elle devait être triste, affreusement triste, désemparée. J'eus pitié d'elle, de moi. Je priai la jeune fille :

« *Signorina,* est-elle partie avant son heure coutumière ? »

Oui, elle était partie, en effet, plus tôt que d'ordinaire. Peu après la visite d'un militaire français.

« Un officier, n'est-ce pas ?

— Peut-être. »

Ce qu'elle avait retenu, c'est qu'il parlait français avec Silvia.

A présent, la jeune fille avait perdu son air morose. Elle me regardait avec un certain intérêt.

« Vous savez, sa tante est malade. Qui sait si elle n'est pas allée chez elle. Etes-vous passé là-bas ? »

Ah ! c'était un bon conseil. Je remerciai. Le mieux, à coup sûr, était de me rendre chez la tante.

Je retournai donc sur mes pas. Le soir tombait, un de ces soirs de printemps, à Naples, tendres et sonores, où la vie semblait éternelle comme cette lumière qui faisait briller les visages. Moi, je me sentais le cœur très vieux, déjà rugueux, emprisonné dans une lourde écorce. Je me répétai ce que j'allais dire à Silvia. J'allais lui dire qu'avoir vingt ans en 1940 supposait que les bonnes fées ne s'étaient pas penchées sur nos berceaux comme elles le font dans les contes. Je lui dirais que j'étais venu comme elle dans un univers que nous n'avions pas choisi, liés à une Europe avilie qui reniait toutes ses valeurs morales, solidaires d'un monde égoïste et impitoyable qui avait jeté l'Allemagne aux mains de sadiques et de fous. Je lui dirais que notre bonheur serait plus clair lorsque nous l'aurions construit sans nous renier. Mais c'étaient là des idées qui se pressaient fiévreusement dans mon esprit et qui ne parvenaient pas à recouvrir ma hantise : Silvia était d'une sensibilité trop vive, et je connaissais aussi son impulsivité. J'étais affolé d'angoisse.

Avant de me rendre chez les Massini, je passai à la maison. Mais Ottavia, sur le pas de sa porte, semblait réellement m'attendre. Elle avait refermé la grille du fond sur les chiens dont je voyais les corps allongés sur les dalles de la cour, dans le crépuscule bleu, entre les barreaux. Non, pas vu la *signorina*. Vieille idiote ! Je la regardai durement, comme si elle avait été responsable du drame qui m'accablait.

Je filai sans plus m'attarder vers la rue des Massini. J'étouffais sous mon manteau militaire, trop lourd pour cette soirée si douce. Au ras des toits, le ciel se coagulait, tournait au violet sombre et de fins nuages étirés, bordés encore de rouge, s'éteignaient peu à peu.

Je montai les étages, un peu essoufflé. Allait-on m'annoncer que Silvia n'était pas là non plus ? Toutes mes veines semblaient se dilater, comme prêtes à éclater, à faire gicler le sang hors de mon corps. J'appelai et j'écoutai un pas grandir dans le couloir.

M. MASSINI parut étonné de me voir, s'effaça pour me laisser entrer. J'étais donc de nouveau en permission ? Il s'en réjouissait pour moi. Non, Silvia n'était pas encore arrivée. Je détournai le regard pour qu'il ne vît pas combien je le haïssais. La tante, de sa chambre, appelait d'une voix de perroquet, voulait savoir ce qui se passait :

« Le lieutenant Longereau ! » dit son mari.

Je dus pénétrer dans la pièce où la vieille dame lisait, assise au fond d'un grand fauteuil, une couverture écossaise sur les genoux. Elle me tint la main un long moment dans ses doigts osseux. Ah ! je venais pour la petite Silvia ? Hélas ! la petite Silvia ignorait mon retour, sinon... Pourquoi ne l'avais-je pas prévenue ? Elle aurait été si heureuse ! Bien sûr, du front on ne pouvait écrire ni agir comme on le voulait.

L'oncle écoutait sa femme pérorer. Il avait ce visage sec des figures du Greco, une longue figure blafarde et un peu niaise comme celles des chevaliers autour de la dépouille du comte d'Orgaz.

« Elle ne tardera pas, vous savez ? disait Mme Massini. En quittant la librairie, elle passe toujours me voir. »

« Peut-être ne passera-t-elle pas précisément ce soir, vieille folle. » Je cachai cette pensée, refusai de m'asseoir, m'excusai de ne pouvoir m'attarder davantage.

« Mais vous reviendrez ? Elle serait très déçue, si elle vous manquait ! »

Oui, oui ! Très déçue ! Très déçue ! Comment me dégager ? Je tremblais réellement, je tremblais d'impatience je serrais mes mains pour qu'on ne découvrît pas mon trouble.

« Elle a reçu une lettre de sa mère. » Sa mère lui écrit de Milan par l'intermédiaire d'un ami de Zurich.

Et je dus subir le résumé des nouvelles fournies par la sœur : bombardements alliés, violences allemandes contre les civils, rationnement, famine, incertitude...

Je pus les quitter en promettant de revenir. L'oncle semblait avoir remarqué à la fin mon agitation. Du seuil de son appartement, il me lança un regard bizarre, tandis que je commençais à dévaler l'escalier. Peut-être devinait-il un conflit sérieux entre sa nièce et moi ! Peut-être même — en homme d'expérience — avait-il déjà compris que je couchais avec elle ! Qu'importait, qu'importait ! Oui, elle couchait avec moi ! Je me répétais le mot à cause de sa grossièreté, comme s'il impliquait une possession absolue, définitive, irrécusable ! J'aurais voulu lui crier cela, par défi, par souffrance et je me retrouvai dans la rue, l'esprit en feu, incapable de prendre une décision. J'allais rôder en vain devant notre immeuble. Tout était désert. Je me souvins qu'au temps de l'éruption du Vésuve j'étais venu là, en ce même endroit, à la même heure, et que j'avais à pleine voix lancé passionnément le nom de Silvia dans la nuit rouge !

Puis je me dirigeai rapidement vers la via Roma et la Galleria, en épiant le visage de toutes les femmes que je rencontrais. Des filles, qui me crurent en quête d'une « âme-sœur », m'interpellèrent. L'une d'entre elles sortit brusquement de l'obscurité, me fit battre le cœur, tant sa silhouette ressemblait à celle de Silvia. Ah ! j'avais juré à Silvia qu'elle pouvait faire de moi ce qu'elle voulait, que je lui appartenais tout entier ! Serments des heures d'exaltation amoureuse où l'on croit qu'on portera vraiment la terre entière à bout de bras. Mais la terre est lourde et son poids vous accable ! Je la sentais m'écraser les épaules, les muscles, la nuque. Comme un halluciné, je marchai jusqu'à Santa Lucia. Je compris quel instinct m'avait conduit jusque-là. En cet endroit même j'avais embrassé Silvia pour la première fois.

Je regardai autour de moi... J'étais seul. Partout le silence. Qu'avais-je donc espéré ? Que je la trouverais contre le parapet à pleurer sur elle-même ? Je devenais idiot ! Ah ! quel gâchis ! Je frappai rageusement du poing sur la pierre. En bas, les formes allongées des barques faisaient penser à des monstres marins échoués ou endormis. Un canon Beaufort se découpait sur le fond brillant du ciel et je pus distinguer la sentinelle appuyée indolemment sur son fusil. Les autres soldats devaient reposer sous leurs abris faits de sacs emplis de sable et habilement empilés. Par bouffées me parvenait l'odeur salée de la mer. Je ne savais plus que faire. Je ne savais plus où aller. Dans ma confusion, il me semblait que je devais demeurer là obstinément. J'avais le sentiment absurde que les pas de Silvia devraient tôt ou tard l'y mener, que toutes les routes qu'elle pourrait prendre aboutiraient à ce coin de Naples qu'une lune funèbre éclairait. Tout était de ma faute. Je me reprochai ma légèreté, ma manière stupide d'éluder si longtemps le vrai problème. Cela ne pouvait conduire qu'à ce drame. La sonorité du mot éveilla en moi une peur affreuse. Je me penchai vers l'eau noire qui soupirait en bas contre les blocs. Dans l'état de dépression où elle se trouvait, Silvia aurait pu se jeter dans ce gouffre rendu plus sinistre par la proximité du château fort, la présence de sa haute et ténébreuse falaise. Je repoussai cette idée. Mais elle m'avait soudain vidé de force et je m'appuyai au parapet des deux mains, le cou dans les épaules. Désespérément je me demandais où je pourrais retrouver Silvia. L'image de Silvia en larmes, toute désemparée, me révoltait. Quelqu'un, dans l'obscurité, lança un rire tonitruant et je faillis courir à la rencontre de l'inconnu pour le frapper. Mais non. Je devais garder autant que possible la tête froide. Difficile. Le rire mourait là-bas dans le noir comme si la seule haine contenue dans ma pensée avait tué l'homme à distance.

Je remontai brusquement vers la Piazza Vittoria et le restaurant où nous avions dîné un soir, Silvia et moi. Il était fermé. Une seule lampe brillait au fond de la salle, éclairait les plantes vertes, les chaises renversées sur les tables, la couche épaisse de sciure répandue sur le carrelage. Un moment, devant la vitrine, je restai à regarder avec mélancolie ce décor de défaite, et des M.P. que mon attitude intriguait se mirent à tourner autour de moi. Je repartis vers la via Chiaïa, traversai la place des Martyrs et comme je ne croisais plus que des militaires et de rares femmes toujours au bras d'un officier, je compris soudain que le couvre-feu avait sonné. Je m'arrêtai devant un magasin. Des mannequins me souriaient niaisement, les mains relevées d'une manière affectée comme les danseuses cambodgiennes. L'étalage contenait également des soutiens-gorge, des combinaisons, des gaines roses ou blanches, ornées de dentelles, de rubans, et cette vision éveilla en moi une nostalgie sensuelle qui me jeta de nouveau en avant.

Je marchai ainsi jusqu'à la via Roma. Je transpirais. Je sentais la sueur me couler jusqu'aux reins. La haute porte d'un cinéma béait comme la porte même de l'enfer. « *Amore e Morte* », annonçait l'affiche qui montrait une jeune femme à demi défaillante, serrant une fleur noire sur son cœur. Une odeur de tabac froid et de poussière sortait du cinéma. Encore deux M.P., anglais ceux-là, et toutes les étoiles du ciel parurent se coaguler au-dessus de leurs képis rouges. C'était l'heure du couvre-feu, et Silvia ne pouvait se trouver dehors. Surprise par une patrouille de police, elle risquait de passer la nuit dans la promiscuité des ivrognes et des prostituées. Sans compter le danger d'être violée par les M.P. du poste. Cette pensée ajouta à mon angoisse. En hâte je remontai vers la maison. Fermée, la loge de la vieille ! En haletant, je grimpai les étages. J'étais coupable, j'étais seul coupable ! Ah ! je me retenais de crier ! Lorsque j'atteignis le dernier palier, un chien, dans la cour, hurla à me crever le cœur. Je pénétrai brusquement dans la chambre, allumai — en tâtonnant pour trouver l'interrupteur — irrité par le tremblement de ma main. Il n'y avait personne. Le lit me parut immense et désolé, et je faillis m'y jeter en pleurant de dépit, de chagrin, d'effroi... Mais quelque chose avait changé dans la pièce. Tout mon esprit était en alerte, cruellement aiguisé. C'était cela : ma lettre ne se trouvait plus sur la table. Comme si je ne croyais pas l'évidence, je passai la paume sur le plateau. Ah ! les feuillets étaient posés sur le marbre de la cheminée ! Silvia était venue ! Lentement, je déchirai la lettre, en jetai les morceaux sur les cendres. J'avais tous les sens en éveil. J'appelai d'une voix presque normale : Silvia ! et j'écoutai le silence. J'appelai de nouveau, avec plus de force. Toute ma vie semblait dépendre de cette épreuve ! J'essuyai machinalement mon visage gluant de sueur, me dirigeai vers la salle de bain, vers la pièce voisine. Rien. J'allai jusqu'à la brèche, regardai dans le vide. La lune bleuissait la masse des décombres. L'air frais me frappa en pleine poitrine. Je retournai sur mes pas. Un peu d'espoir m'était revenu. Il brillait en moi comme une nappe d'eau au fond d'une grotte.

Sur la galerie, ma chemise pendait grotesquement. Je l'arrachai du fil, la lançai sur une chaise de la cuisine. J'allais et je venais comme un fou. Silvia était rentrée. Pourquoi serait-elle repartie ? Elle savait les dangers d'une arrestation par les M.P. après l'heure du couvre-feu ! On racontait des histoires sinistres sur le sadisme de ces gens-là ! A cette idée, un goût de meurtre m'envahissait. Je m'étais penché sur la cour. Je vis de la lumière, descendis les étages. Peut-être ne s'agissait-il que des locataires. Je frappai. Personne ne répondit. Je me décidai, poussai la porte de l'appartement où j'avais déjà pénétré pour prendre du bois. Dans la pièce aux meubles recouverts de housses, Silvia fumait, assise sur le divan, les coudes sur les cuisses. Sur une table, une petite lampe de fer l'éclairait de côté.

« Silvia ! »

Je crus avoir crié le nom et je l'avais à peine prononcé dans un murmure. Mais j'étais libéré de cette angoisse qui jusqu'à cette minute me séchait le cœur. Je remarquai combien les chaussures de Silvia étaient souillées. Elle avait dû marcher longtemps, au hasard, à travers les rues. La fatigue, le découragement ou l'approche du couvre-feu l'avaient sans doute ramenée dans ce refuge. Un sang noir courait dans tout mon corps. J'avançai d'un pas. Sans tourner la tête vers moi, Silvia se laissa partir en arrière d'un air de lassitude. Elle avait les yeux secs, le visage fermé. J'en fus surpris, tant je m'étais préparé à l'image d'une Silvia abattue, tout en larmes. Je ne savais plus comment lui parler. Je dis avec une émotion que je maîtrisais mal :

« Je t'ai cherchée... J'avais peur. »

Elle resta un instant sans bouger, comme si elle se désintéressait de ma présence. Puis elle me fit face, parut découvrir que j'étais en uniforme, me regarda froidement :

« Peur de quoi ? » dit-elle avec dédain.

Je m'attendais à des reproches, à l'explosion d'un chagrin devant lequel je serais resté incapable de réagir. J'avais redouté une scène véhémente. Je me heurtais à cette attitude orgueilleuse qui me troublait davantage, me blessait. Un mur épais se dressait entre nous et je cherchai à le détruire en prenant un ton humble, conciliant :

« Silvia, tu ne dois pas m'en vouloir... »

Cette fois la réponse vint d'un coup, rapide, cinglante :

« Je ne t'en veux pas ! »

Elle prit une autre cigarette, l'alluma à la flamme d'un briquet d'argent que je lui avais offert. A ces gestes précis, je compris combien elle restait maîtresse d'elle-même. Une petite voix méchante me soufflait, tandis que je m'asseyais au bord d'un fauteuil : « Bien sûr, tu aurais préféré les larmes. Tout bien pesé, elles facilitent les choses. » Mais ce qui dominait à présent mon esprit, c'était l'étonnement. J'avais connu Silvia ardente, passionnée, possédée par une ferveur intransigeante et farouche et je la retrouvais dans ce décor funèbre, toute transformée, le front dur, la bouche méprisante, belle et inaccessible plus encore qu'en nos premiers jours. Je ne devinais aucune véritable hostilité en elle, mais un « éloignement » profond, celui de deux étrangers sur un navire réunis par la seule circonstance du voyage. Ah ! nous n'étions pas deux étrangers ! Et ce qui nous unissait voulait et devait vivre ! Cette bouffée de chaleur me fut favorable. Elle me permit de surmonter un certain désarroi qui dispersait mes idées.

« Tu as lu ma lettre ? » dis-je d'une voix oppressée.

Elle fit simplement un bref signe de tête, rejeta ensuite la fumée de sa cigarette avec une aisance trop bien jouée. Non, elle n'était pas aussi sûre de ses nerfs qu'elle voulait le laisser paraître, et cet effort pour donner le change m'irrita un peu. Je demandai :

« Pourquoi rester ici ? »

Elle me jeta un bref regard :

« Et pourquoi non ?

— Nous serions mieux chez nous, Silvia. »

Et je montrai les meubles sous les housses comme une assemblée de fantômes attentifs à nos propos. Ils m'inspiraient d'ailleurs une véritable répulsion. Ces murs nus, ces formes blanches, cette lumière trop basse qui découpait bizarrement les ombres me mettaient mal à l'aise comme si réellement je m'étais trouvé dans un caveau funéraire, un de ces trop riches caveaux napolitains du « Cimetière monumental » où l'on reproduit dans le marbre jusqu'aux objets familiers du mort.

« J'ai besoin d'être seule », dit Silvia.

Ton froid, sans amertume. Il aviva cette irritation qui couvait en moi depuis un instant.

« Silvia, dis-je avec un certain emportement, je vais partir pour le front dans une trentaine d'heures ! »

Qu'on me croie ! J'avais lâché cette phrase poussé par une courte révolte où il entrait une sorte de fièvre désespérée et non pas un bas souci de chantage au sentiment.

« Faut-il te plaindre ? » dit Silvia avec une sèche ironie.

La riposte me rejeta dans ce désarroi qui

balayait mon esprit. Je m'efforçai de me rassurer. Non, rien n'était perdu entre nous ! Silvia était là, en face de moi. Rien ne pouvait être définitivement perdu ou profondément altéré. Il fallait trouver les mots, c'était affaire de mots ! Tout alors s'éclaircirait.

« Ecoute, dis-je, nous devons être raisonnables... »

Alors elle sourit mais d'une façon cruelle qui la rendit plus belle encore, qui donna un éclat étrange à ses yeux.

« Il était temps, en effet, que nous devenions raisonnables », dit-elle avec la même ironie serrée.

La fumée de la cigarette forma un léger nuage, brouilla un instant son visage. Je l'observai avec une intensité qui me creusait les tempes.

« Mais ne crois-tu pas, ajouta-t-elle, que la raison est à l'amour ce que l'eau est au feu ? »

Pour prendre une contenance et me donner le temps de réfléchir, j'allumai à mon tour une cigarette, la jetai aussitôt, l'écrasai sous ma semelle. Je me sentais engagé dans une joute pour laquelle — je le constatais avec dépit — j'étais mal armé. Je dis d'un ton découragé :

« Je sais, j'ai été infâme, Silvia.

— C'est un mot de mélodrame. Tu es contaminé par le style napolitain. »

Elle dut voir dans mon regard l'effet de sa raillerie. J'avais été sincère en m'accusant. Je ne supportais pas ce ton qu'elle avait adopté. Silvia devina-t-elle ce brusque changement en moi ? Après un silence, elle soupira, se redressa, dit froidement :

« Bien. Essayons donc de parler comme deux

personnes intelligentes, qui examinent ensemble une situation désagréable. »

Les derniers mots furent prononcés tandis qu'elle éteignait sa cigarette dans un cendrier sur la table. Elle avait allongé le bras. Je faillis céder au désir de le saisir, d'attirer Silvia contre moi. J'y renonçai. J'y renonçai par prudence car si elle résistait, si mon énervement me conduisait à quelque geste trop vif, la scène pouvait prendre une tournure déplaisante. Mieux valait dominer mes impulsions, patienter. Tant que nous étions là, présents malgré tout l'un pour l'autre, liés par des sentiments égarés peut-être mais toujours intenses, je devais rester confiant.

« Silvia, dis-je, il faut comprendre...

— Comprendre quoi ? »

Elle avait relevé la tête, me regardait avec insolence, ses prunelles brillaient et le pli de sa bouche avait une crispation nouvelle. Je fus convaincu qu'elle souffrait, qu'elle cherchait à dissimuler son émotion.

« Mais tu sais que je t'aime !

— Pas comme je veux être aimée ! »

La réponse avait jailli comme un véritable cri de l'âme. Je ne sus que dire, tant j'étais moi-même bouleversé. Comment plaider ma cause, reconnaître mes torts et me justifier aussi ? Comment lui expliquer à présent le cheminement en moi d'un doute dont je n'avais pu me défaire ? Je tournai ma pensée vers Joe. Ah ! Silvia, Silvia, de tous côtés on appelait au secours et je ne bougerais pas, trop avide de bonheur pour céder à la détresse du monde ! En cette minute même, des hommes de proie torturaient d'autres hommes ou les laissaient pourrir vivants dans l'horreur et le désespoir. J'avais tenté d'expliquer tout cela dans ma lettre. Je renonçai à livrer de vive voix ces images qui m'obsédaient. Je regardai avec lassitude les meubles dans leurs housses et j'eus vraiment l'impression de me trouver dans un cimetière. Il ne manquait même pas l'odeur grise des soirs d'enterrement.

Au vrai, si je renonçais à parler, c'est que je craignais aussi la réponse de Silvia. Murée comme elle était dans sa passion, peut-être aurait-elle rejeté âprement mes scrupules ! Peut-être m'aurait-elle répliqué que cette indifférence monstrueuse que je refusais était en fait le véritable triomphe de l'amour !

Je n'aurais pu accepter ni supporter qu'elle parlât ainsi. Je préférais qu'elle me reprochât par exemple ma duplicité, ma perfidie, ou ma lâcheté ! Oui, j'avais été faible. Mieux aurait valu que je dise à temps ma décision, que j'en éclaire les raisons, mais j'avais été roulé dans une vague dont je sortais à peine, l'esprit encore vacillant. Le silence me parut se gonfler entre nous comme une énorme poche noire, redoutable. Une panique soudaine me vint et je répétai à Silvia que je l'aimais, que je refusais de la perdre, qu'elle devait comprendre mon attitude, le doute qui m'avait peu à peu gagné et que je me préparais à lui avouer lorsque Joe avait surgi. Je parlais vite, la bouche sèche, la poitrine comme envahie de sable tiède. Je l'aimais, j'avais besoin d'elle, je reprenais les mêmes mots, confiants dans leur pouvoir à présent, confiants dans cette tendresse qui en prolongeait le sens et à la fin je lui dis que nous allions sans plus tarder nous marier. Ici, elle me regarda d'un air de moquerie souveraine :

« Ne te crois pas obligé de me prendre pour épouse légitime. Rassure-toi. Je ne suis pas prête à jouer le rôle de fille séduite.

— Cette séparation sera courte, Silvia. Nous devons être patients !

— C'est déjà un langage de mari.

— Silvia ! Je reviendrai et nous serons de nouveau heureux. Nous pourrons être heureux sans... »

J'allais dire « sans honte », mais la formule me parut à la fois juste et trop théâtrale. De toute manière, Silvia m'empêcha de continuer. Elle dit avec une sourde véhémence :

« Pourquoi est-ce toujours aux femmes d'attendre ? « Je reviendrai ! » dis-tu. Je ne me suis jamais apitoyée sur le destin de Pénélope ! Il me répugne ! »

Elle était penchée en avant. Ses yeux étincelaient. Sa jupe s'était relevée, montrait jusqu'aux cuisses ses jambes longues et nerveuses.

Elle ajouta, cette fois d'un ton plus contenu :

« Que tu reviennes ou non, est-ce bien ce qui importe ? Mais puisque tu veux partir... »

Et elle fit un geste que je pouvais interpréter comme un signe de résignation, d'indifférence ou de dédain.

A ce moment retentirent les sirènes d'alerte. Leur appel pathétique ondula à travers le ciel, me crispa les nerfs. Je regardai Silvia. Elle me sembla décidée à demeurer dans cette pièce.

« Il faut descendre, dis-je. Nous sommes trop près du port. »

Comme elle ne réagissait pas, j'ajoutai :

« Dans ce cas, je reste avec toi. »

Elle se leva aussitôt, visiblement agacée par ma décision, rafla sur la table ses cigarettes et le briquet et se dirigea vers la porte. Lorsqu'elle passa devant moi, je résistai de nouveau à l'envie de la prendre dans mes bras. Le moment n'était pas venu. Je la laissai sortir.

Nous suivîmes les flèches qui indiquaient : « *Al ricovero.* » Ottavia se trouvait déjà dans le refuge, emmitouflée dans un vaste manteau d'astrakan d'où surgissait sa tête de tortue. Elle nous salua de loin. Une dizaine d'épais rondins soutenaient les voûtes de la cave, entre lesquels on distinguait plusieurs personnes installées sur des bancs. D'autres personnes arrivaient qui dégringolaient l'escalier tandis que l'artillerie antiaérienne commençait son vacarme. Silvia alla s'appuyer au mur et parut ne plus me prêter d'attention. Je restai en compagnie des volontaires de la Défense passive, responsables de l'abri. A travers le roulement de la D.C.A., on entendit les premières bombes exploser. L'une d'entre elles fit trembler la lumière et, alarmés, des gamins se mirent à gémir et même à pleurer.

Deux soldats américains qui se tenaient assis dans un coin se levèrent. Le plus jeune, petit, rouquin, se mit à distribuer du chewing-gum non sans taquiner les gosses, les obligeant à sauter pour attraper les tablettes. L'autre, qui ressemblait un peu à Joe, commença à jongler avec des billes d'acier. Il le faisait d'ailleurs avec une adresse surprenante, variant les figures, et toute la cave suivit le jeu avec attention. Moi-même je fus intéressé et je rejoignis Silvia. Finalement l'atmosphère devint moins tendue malgré les explosions qui secouaient le quartier. Sa distribution de chewing-gum terminée, le petit G.I. sortit des photos de son fils qu'il montra d'abord aux mères de famille. En mauvais italien, il expliqua à la ronde que le bébé avait trois mois, qu'il s'appelait Charlie, comme son père ! qu'il ferait de la boxe, comme son père ! et lorsque l'une des photos parvint entre les mains de Silvia je me penchai le plus naturellement du monde et le G.I. me donna une bourrade affectueuse, cligna de l'œil. Silvia surprit le manège et regarda le soldat sans sourire, d'un air étrangement absent. Je ne m'attendris jamais sur les nouveau-nés. Ils ont à mes yeux un aspect de larves que je ne supporte pas. A mon tour j'examinai la photo : un bébé de quelques semaines endormi dans un berceau, une figure ratatinée de petit singe. Je dissimulai mes vrais sentiments, félicitai l'heureux père et affirmai avec conviction que le « bambino » lui ressemblait. L'autre parut content de ma remarque et partit. Je m'aperçus alors que Silvia m'observait et dans ses larges yeux je lisais clairement sa pensée :

« Comme tu sais mentir ! Et peut-être sais-tu aussi bien te mentir à toi-même ! »

Je murmurai en français :

« Hé, il faut bien dire quelque chose ! »

Dehors, la canonnade redoublait d'intensité. Je me dirigeai vers l'escalier, observai le ciel rayé en tous sens par les traceuses.

« Ils ne doivent pas s'amuser beaucoup là-haut, dit une voix.

— Il n'y a pas de quoi s'amuser non plus, ici en bas, dit mon voisin, un vieux.

— Ce qui me console, dit un autre, c'est que

sur leurs villes, l'aviation alliée leur rend la politesse au centuple.

— Si nous dégustons une de leurs bombes, la consolation sera courte, dit la voix de l'homme perdu dans l'obscurité.

— *Vero* », dit le vieux.

Des explosions du côté du port firent trembler la bâtisse. De nouveau, la lumière de notre unique ampoule vacilla dramatiquement. Cette fois, personne ne cria. Les G.I.'s eux-mêmes restaient muets, attentifs, mains aux poches, le calot pris sous la patte d'épaule. Je vis Silvia dans la même attitude où je l'avais laissée. Il me sembla remarquer dans son regard une expression qui m'émut, humble et comme endolorie. Je m'empressai auprès d'elle. Si une bombe écrasait notre abri, ah ! qu'elle épargnât Silvia ou qu'elle nous tuât ensemble ! Silvia devina peut-être cette pensée, car elle examina mon visage, s'effaça, me fit une place à ses côtés. Je sentis la chaleur de sa hanche, de son bras. Je lui pris la main, et elle me l'abandonna. Ce geste si simple me toucha et me reporta aux jours de mes maladroites tentatives de séduction, lorsque je m'efforçais de vaincre l'indifférence de Silvia, la quiétude de son cœur. Mais j'avais à vaincre désormais en elle des sentiments plus durs et cette solitude nouvelle que j'avais moi-même créée !

Fugitive, la pensée de l'ouvrier qui criait sa douleur sur les décombres me traversa l'esprit. Je m'en détournai. Depuis que je faisais la guerre, par une superstition obscure, je me détournais au moment d'un danger, des mauvais souvenirs qui pouvaient attirer sur moi l'attention du malheur. Puis les sirènes annoncèrent la fin de l'alerte. Aussitôt je pris le bras de Silvia et avec tant d'autorité qu'elle ne réagit pas, se laissa docilement conduire. Mais en vérité quelque chose en elle semblait brisé. Je ne dis pas un mot jusqu'à la maison. D'ailleurs, Ottavia nous accompagnait en clopinant, alourdie par le poids des trois ou quatre manteaux qu'elle avait dû revêtir l'un par-dessus l'autre. Un incendie agitait ses torches du côté de la marine, éclairait lugubrement des toits, les frangeait d'un jaune vénéneux.

Dans la chambre, Silvia se déshabilla lentement, se coucha, se tourna vers le mur, d'un mouvement las, comme quelqu'un d'épuisé. J'avais craint d'abord qu'elle ne refusât de passer la nuit avec moi, qu'elle décidât par exemple d'aller dormir chez les Massini. J'étais surpris de son attitude actuelle, fermée, résignée, et non plus orgueilleuse. Mais lorsque je la rejoignis entre les draps, je n'eus pas le courage de l'attirer contre ma poitrine. Je la sentais trop loin de moi, enfoncée en elle-même. Je ne sais si elle dormit. Moi, je restai de longues, d'interminables heures les yeux ouverts dans le noir à ressasser les mêmes pensées moroses et les craintes qui me torturaient.

Je m'assoupis sur le matin. Lorsque je me réveillai, Silvia avait déjà quitté le lit. J'allai la rejoindre dans la salle de bain. Silvia se trouvait sous la douche dont le grondement avait couvert le bruit de mes pas.

Elle ne s'était pas aperçue de ma présence, et je restai un moment immobile à la regarder, à admirer son corps tout brillant sous la pluie chaude. Je découvrais dans ses attitudes de baigneuse quelque chose de chaste qui m'enchantait. Des filets d'eau contournaient ses seins durs, d'une merveilleuse rondeur dont la fleur s'était épanouie, ou bien couraient le long de ses hanches, de ses cuisses. Lorsqu'elle arrêta le jet, des gouttelettes restèrent prises à la toison de son ventre. D'un geste souple, elle tira en arrière ses cheveux mouillés et m'aperçut alors sur le seuil, immobile, le regard sur elle. Sans un mot, elle franchit le bord de la baignoire et dans le même instant je lui tendis une serviette qu'elle accepta.

Dieu, qu'elle était belle ainsi, nue devant le miroir ! Quelles promesses de bonheur en elle ! Comme il me paraissait absurde et vain de prêter la moindre attention à ce qui se passait au-delà de ces murs ! La seule image de Silvia dans le miroir rayonnait jusqu'à effacer celles des océans, des forêts sauvages, des villes sombres, des champs de bataille qui, après tout, avaient de tous temps dévoré des hommes !

Par la fenêtre, le soleil entrait, allumait de vifs reflets sur ses cheveux humides. Je ne savais pas pourquoi je l'aimais. Je savais seulement que j'étais prêt à mourir si je la perdais. Elle remuait à présent des tubes de fards qui mettaient dans la pièce un parfum de printemps.

« Silvia », dis-je enfin.

Je la pris précautionneusement contre moi, je craignais qu'elle ne se refusât, mais non, elle se laissa embrasser. Je sentis sous mes lèvres sa bouche froide et je vis ses yeux ouverts, fixes, inexpressifs.

Ensuite je la laissai partir. Elle avait tenu absolument à retourner chez Varella et je n'avais pas osé la retenir en lui rappelant qu'il s'agissait de notre dernier jour. Et à quoi bon le lui rappeler ? Elle ne l'ignorait pas.

L'après-midi, je me rendis à l'hôpital. Avant de retourner dans mon unité, j'avais à subir une dernière visite médicale. On me fit attendre longtemps. Puis, le même médecin m'assura que ces semaines supplémentaires de repos m'avaient été nettement favorables, que tout était « parfait-parfait ».

Je n'oubliai pas d'aller saluer mes infirmières. Castanier, cette fois, ne vint pas à ma rencontre. L'eût-il fait que je l'aurais fraîchement reçu. Je me trouvais dans une humeur noire, excédé par la longueur des formalités. Lorsque enfin j'en eus terminé, je pus rejoindre Silvia chez les Massini. Du bureau de l'infirmière-major, je lui avais téléphoné à la librairie et elle m'avait simplement répondu :

« Je t'attendrai. »

Lorsqu'elle m'ouvrit la porte, lorsque — un peu pâle — elle m'accueillit sans sourire, la pensée de notre séparation si proche, de notre séparation sur un malentendu aussi profond me noua la gorge.

Tandis qu'elle se préparait dans la salle de bain — nous devions dîner en ville — je dis à l'oncle que je comptais bientôt épouser sa nièce. Je n'avais jamais réfléchi à la manière de demander une jeune fille en mariage. Au visage interloqué de Massini, je compris tout de suite que mon raccourci avait été un peu abrupt. Je crus bon d'ajouter quelques phrases idiotes dans le genre : « Nous nous aimons, nous estimons inutile d'attendre davantage », etc., tout en jetant de brefs coups d'œil vers la salle de bain, serré par la crainte que Silvia n'entendît ces propos.

L'oncle sourit. En souriant ainsi, ce n'était plus à une figure du Greco qu'il me faisait penser, mais à ces vieux matadors espagnols, desséchés, malchanceux, depuis longtemps sur le déclin, et à qui, un soir, de façon inespérée, le public fait fête.

« *Dio sia laudato* », dit-il en me tendant la main.

Ensuite il appela sa femme.

Elle vint, dans une longue robe de chambre bleu roi, écouta son mari, gloussa de joie, m'embrassa en m'appelant « mon fils ». Puis elle tira la porte de la salle de bain, s'écria :

« Mais, ma chérie ! Tu n'as rien dit ! Tu nous as caché... Oh ! mon Dieu, que tes parents vont être heureux ! »

J'étais embarrassé, mécontent surtout d'avoir provoqué ces manifestations. Etait-ce bien le moment ? N'aurais-je pu attendre ? Et cependant, cette petite scène m'enfonçait dans une épaisseur d'existence familière qui ne manquait pas de douceur. J'observai Silvia qui, avec application, rendait ses baisers à la tante. Elle continua calmement à se brosser les cheveux. J'eus la sensation que toute ma vie était faite d'une trame très fine et qu'à la moindre imprudence elle pouvait se déchirer, s'effilocher entre mes mains.

EN revenant de l'hôpital j'étais d'abord passé au journal pour emprunter à Chanderli quelques centaines de lires dont j'allais avoir besoin pour cette soirée. Il revenait de Sessa Aurunca, de l'état-major du général Juin, et me dit que pour la prochaine offensive sur Cassino les Français seraient « aux meilleures loges ». Il m'annonça aussi qu'Alger avait été bombardée, mais je n'eus pas une seule pensée pour ma mère.

Intentionnellement j'avais choisi le petit restaurant où nous avions dîné, Silvia et moi, pour la première fois. Des musiciens avaient remplacé le gramophone et jouaient les mêmes airs napolitains. La patronne avait orné son comptoir d'une gerbe de glaïeuls roses.

Durant le repas, Silvia ne sourit jamais sauf par courtoisie, pour remercier le violoniste qui galamment était venu près d'elle chanter un air en vogue.

A la fin, cependant, elle me demanda sans préambule si je tenais réellement à notre mariage. La question me blessa et m'inquiéta en même temps. Je protestai :

« Silvia ! Mais nous sommes l'un à l'autre ! Rien ne peut nous séparer ! Et il m'est impossible de concevoir la vie sans toi ! »

Je m'entendis prononcer ces dernières phrases et je sentis mon âme se creuser comme sous l'effet d'une longue houle. Je savais tout ce que Silvia pouvait me répliquer. Je le craignis dans l'instant. Or, elle demeura silencieuse, sourcils froncés, dans une attitude méditative. Ensuite elle tourna la tête vers les musiciens, attirée en apparence par un refrain populaire qu'ils chantaient en chœur. Je murmurais : « Silvia », en lui saisissant la main, mais tout mon être criait vers elle, affolé de la voir ainsi s'éloigner, franchir ce cercle où nous nous étions enfermés et hors duquel commençait pour moi un désert noir.

Je dis encore, d'un ton bas et passionné : « Silvia, je t'aime. » Elle parut ne pas m'avoir entendu. Je commençais à détester cette salle, ces miroirs, ces inconnus qui m'entouraient, ces laides petites lampes sur les tables qui donnaient aux visages une pâleur cadavérique et surtout, oh, surtout, cet orchestre trop bruyant, sa grosse caisse avec une face hilare de clown et ses ineptes chansons sentimentales, des chansons où passaient avec une sorte d'intentionnelle dérision les mots mêmes dont je me servais !

Puis Silvia me regarda de nouveau. Je vis de la lassitude dans ses yeux, une immense lassitude mais aucune mauvaise ombre et je lui en fus reconnaissant. Par ce seul regard, il me semblait qu'elle m'aidait à remonter du fond d'un souterrain. Je dis de façon pressante :

« Silvia, nous allons écrire, réclamer dès demain les papiers nécessaires. »

Elle approuva d'un simple battement des paupières, en penchant la tête avec cette grâce fragile et mélancolique que l'on voit aux jeunes filles sur les estampes japonaises. Alors seulement je lâchai sa main que j'avais tenue étroitement serrée jusque-là dans la mienne.

Dans notre chambre, Silvia, comme la veille, fit rapidement sa toilette et se mit au lit la première après avoir revêtu un léger pyjama bleu. Je ne tardai pas à la rejoindre. Les draps étaient frais et sentaient la lavande. J'éteignis la lumière, chuchotai le nom de Silvia dans l'obscurité sans qu'elle répondît, mais j'entendais son souffle court. Avant longtemps, je ne connaîtrais pas de nuit comme celle-ci, cette tiédeur d'un corps aimé, cette attente frémissante du plaisir. Je me tournai d'un coup de reins, me couchai sur elle et elle ne réagit pas, se laissa caresser, froide et inerte dans mes bras. Cependant, elle poussa une petite exclamation lorsque, pour la dépouiller de son pyjama, je fis dans mon impatience craquer l'étoffe de la veste. Je la couvris de baisers, tentai d'éveiller sa chair, emporté dans cette joie qui dilatait mon être, mais si elle se prêta à mon désir, jamais elle ne parut s'émouvoir.

Le lendemain, comme le rendez-vous avec Joe était très matinal, je la laissai au lit. Je l'embrassai, ivre de chagrin, j'embrassai sa gorge, ses bras, son ventre. J'enfonçai mon visage entre ses seins. Alors, enfin, une certaine émotion parut s'emparer d'elle. D'un geste presque maternel, elle me caressa la nuque, passa la main dans mes cheveux et à la fin me rendit mes baisers. Oh ! ce fut un élan timide, mais qui venait du meilleur de son âme, je ne pouvais en douter, et il me rassura, m'allégea le cœur...

J'étais encore tout plein d'elle, du parfum de ses cheveux, de la tiédeur de son corps, de la clarté retrouvée de son regard lorsque la jeep, après Capoue, prit la route de Sessa Aurunca. Le capitaine s'était placé derrière avec un autre officier. Joe conduisait, j'étais à ses côtés et il respectait mon silence, sans se douter de l'amère obsession que celui-ci recouvrait. Mais soudain, il me montra les sommets enneigés des Abruzzes. En plein ciel, au-dessus des brumes matinales, ils naissaient comme des îles inconnues, stériles et redoutables.

TROISIEME PARTIE

Alouette, gentille alouette,
Alouette, je te plumerai...

FERNANDEZ chantonnait, appuyé au bassin. Des tirailleurs remplissaient leur bidon à la fontaine, sous la tour dont un obus avait arraché la grande horloge. Un peu plus bas, près d'un arbre gisait un mulet à l'échine rompue. Ses yeux ressemblaient à deux huîtres. Il avait une bouche de carton rose où grouillaient déjà des mouches. D'où sortaient-elles ? Le froid, à cette altitude, était vif. Entre les haies, au-dessus du village, des plaques neigeuses luisaient. C'était un jour de mai, clair et léger, où tournait un soleil blanc. Je regardais les sommets et je me découvrais changé. J'aurais voulu me rouler dans cette neige, là-haut, j'aurais aimé être pur, immobile et froid comme elle, et non tourmenté par le remords. J'avais été coupable envers Silvia et la pensée de sa souffrance m'accablait.

Des goumiers — burnous rayés, casques plats de l'armée britannique — grimpaient par les lacets, suivis d'un convoi de mulets. Mes hommes s'étaient pour la plupart couchés pour la halte sur les longues dalles schisteuses de la place. Tous, de jeunes et robustes paysans de Kabylie, au regard vif, au profil noble. Ils rêvaient, la nuque appuyée sur leur casque et je me demandai ce qui pouvait nourrir leur rêverie. Peut-être le visage de la mort qui les guettait plus loin, à quelque détour de ces montagnes où nous nous enfoncions ? Ou peut-être l'amertume de mourir pour une liberté qui ne les concernait pas ? Sous cette lumière, leurs visages et leurs mains brillaient comme du cuivre. Des canons tonnaient quelque part et leur grondement roulait de crête en crête comme celui d'un lointain orage. Une fois de plus, je sortis la lettre de Silvia. Deux mots de tendresse — conventionnels — (*Mon chéri* et *tendrement*) encadraient des phrases sans vibration aucune. Elle me donnait par exemple des détails sur la restauration d'un antiphonaire et des nouvelles de sa tante dont je me moquais bien.

Parfois il me semblait déceler à travers ces lignes, les premières que j'eusse reçues d'elle depuis que j'avais rejoint mon unité, une froideur voulue, calculée. Cette idée me peinait ou m'irritait selon le moment ou ma disposition d'esprit. Parfois je finissais par me convaincre que le ton de cette lettre ne pouvait être différent si je tenais compte de la terrible désillusion dont Silvia avait souffert.

Je pliai soigneusement la feuille, la remis dans la poche intérieure de ma vareuse et restai ainsi, face à la vallée, avec sur les épaules toute la fatigue de cette dernière nuit passée dans une grange humide. Le vent me glaçait les oreilles, me râpait les lèvres. Et je rêvais à Silvia comme à un long et beau poème que je me récitais dans la complicité du cœur. Mais je savais que rien n'était définitivement gagné avec elle, et je me sentais l'âme prisonnière d'un joueur qui ne peut plus se retirer du jeu.

Ma montre marquait huit heures. J'ordonnai le rassemblement qui s'opéra très vite dans le claquement des souliers sur les dalles, les appels furtifs.

Nous sortîmes du village par un chemin boueux, tout crevassé, coupé de fondrières. Deux ambulances s'étaient garées sous un bouquet d'arbres et l'on avait tendu au-dessus d'elles de grands filets de camouflage. L'odeur de terre humide s'exaspérait à mesure que nous montions. Lorsque le monastère que nous devions occuper surgit enfin derrière une avancée rocheuse, j'envoyai Messaoud et ses hommes en éclaireurs.

Nous les attendîmes sous un talus qui portait cinq tombes allemandes, les croix marquées d'insignes que je ne connaissais pas. Je grimpai jusqu'à elles pour lire les noms. Où êtes-vous à présent, Erhart Heneschel, Franz Göth, Werner Alstadt, Emil Quast, Werner Fahrer ? Et pourrais-je vous appeler encore des ennemis ? D'en bas, des soldats en silence regardaient aussi les cinq croix que le vent avait inclinées. D'autres battaient la semelle ou soufflaient dans leurs doigts. L'herbe de ce vigoureux printemps avait déjà envahi le tertre et j'eus envie de cueillir quelques-unes de ces fleurettes jaunes ou blanches pour chacune des tombes, mais qui comprendrait ce geste ? Je ne sais quelle pudeur absurde me retint ! Lorsque je la surmontai, il était trop tard. La patrouille de Messaoud revenait. Je portai la main à mon casque pour saluer les morts et dévalai la pente.

Deux kilomètres plus loin, sur une terrasse, le monastère se dressait avec une allure de forteresse : murs épais, fenêtres étroites, clocher trapu. Des pigeons étaient posés sur les tuiles couleur de miel. Messaoud avait confirmé que le bâtiment était dégagé. Il aurait suffi que Silvia eût écrit par exemple les mots « je t'aime » pour que ce matin-là perdît un peu de son poids, pour que l'air me parût moins compact, plus respirable, pour qu'une certaine confiance m'habitât, au lieu de cette sensation d'homme traqué.

Mais Silvia était loin, derrière une accumulation de montagnes et d'obstacles, et loin aussi par ma faute ! Et moi j'étais de nouveau dans la guerre, bien que ce ciel d'Italie, ruisselant de soleil, semblât le nier. « *Comment as-tu enfin daigné venir jusqu'à ce mont ?* » Ah ! un ciel pour vacances heureuses ! Un ciel pour Silvia et moi ! sous lequel nous pourrions marcher librement, au bras l'un de l'autre ! Tout en mâchant du chewing-gum pour garder la bouche fraîche, j'observai le monastère à la jumelle. Rien ne bougeait. Les quelques religieux qu'on m'avait recommandés devaient se trouver à l'intérieur. Le vent agitait les feuillages. De longs nuages d'un blanc laiteux défilaient au ras des crêtes. Je postai des soldats derrière les petits murs de pierres sèches qui soutenaient des bandes de terrain. Puis je recommençai à inspecter à la jumelle les pentes coupées d'éboulis rocheux. Tout en bas, entre des barrières, s'étendaient des prairies d'un vert somptueux. Quelques arbres gris ajoutaient à ce paysage un air d'innocence comme dans ces tableaux du Quattrocento où, en arrière-plan des figures saintes, la nature montre un caractère de douceur et d'amitié, intimement accordée à l'homme. Mais ici, quelques détails, dès qu'on les avait perçus, détruisaient l'illusion. Près du chemin, la ferme était déserte, le toit crevé. « *Cinzano* », disait le mur tourné vers nous, bleu et rouge, tout écaillé par les balles. Rien dans la cour. Pas une bête. A droite de l'entrée, une charrette renversée. J'avais à présent l'esprit froid, les sens en éveil. Longuement, j'examinai derrière un rideau de peupliers, ce char allemand incliné, enfoncé dans le fossé. Un « Tigre » du type le plus récent. Un 70 tonnes. Canon de 88. Chenille gauche arrachée. La trappe était restée ouverte. Des éclats avaient écorché la croix noire cernée de blanc.

Je donnai quelques consignes aux sergents Fernandez et Kader. (Kader, sous-officier d'active, vingt-cinq ans, petit et dur, d'esprit étonnamment agile). A l'œil nu cette fois, je regardai encore les rochers, les prairies, la ferme mutilée et la tache bleue, insolite, de son panneau publicitaire. Je cherchai aussi l'emplacement du char, pris par cet instinct de méfiance qui s'était développé en moi. Ensuite je pénétrai avec Messaoud dans le monastère.

DANS la cour, entourée d'une galerie à colonnettes, une vasque pleine d'eau reflétait le ciel. Aucun des religieux ne se montrait. Le silence m'intimida, et je levai les yeux vers les fenêtres, attentif au moindre bruit, au moindre mouvement. A gauche, un puits orné d'une vigne grimpante. Entre les dalles, une herbe courte d'un vert tendre et lumineux. Lézards. Le soleil faisait des ombres bleues. Au bord du clocher, les pigeons paraissaient nous épier. J'avançai sous la galerie et mes pas retentirent de façon bizarre. Je vis des fresques sur les murs. Elles me semblèrent très anciennes et représentaient des scènes de la Passion. Je tenais ma main gauche appuyée aux jumelles qui pendaient sur ma poitrine. Dans ma main droite, j'avais mon colt, le canon vers le sol. Je me sentais très intrigué, mais très calme aussi. Une idée absurde me traversa l'esprit : j'avais vingt-cinq ans et j'allais peut-être mourir en ce matin de printemps, dans ce monastère au nord de Naples, au cœur des Abruzzes, tué par un de ces Werner ou de ces Franz pour lesquel j'avais éprouvé — je m'en souvenais, ah, imbécile que j'étais !

— une pitié fugitive ! La mort pouvait à chaque seconde s'abattre sur moi d'une de ces fenêtres et je marchais lentement, le ventre serré, ma hanche blessée soudain plus lourde et cependant rassuré stupidement par le poids du colt dans ma main, comme si je tenais un talisman, une amulette protectrice. Je me retournai à ce moment vers Messaoud dont je vis le visage attentif, le regard concentré de chasseur à l'affût. Le passe-montagne lui couvrait les oreilles, le cou. Ses yeux brillaient intensément sous l'avancée du casque. Derrière lui, encadré par la porte, un arbuste se balançait, avec ses premières feuilles qui saluaient le printemps.

J'entrai dans une grande salle aux murs nus, passés à la chaux. Par les fenêtres masquées de vitres dépolies, la lumière tombait obliquement sur le sol. Tout au fond se dressait un autel surmonté d'une croix de cuivre. De part et d'autre de la croix des chandeliers étaient alignés. Je les regardai sans bouger de place. Le chewing-gum dans ma bouche avait pris une saveur amère. Je le crachai nerveusement, m'essuyai les lèvres, le regard toujours dirigé vers les chandeliers. C'est qu'ils portaient tous des cierges, longs et d'un jaune pâle. Et tous les cierges étaient allumés.

Sans me retourner, d'un mouvement de la main qui tenait le colt, je fis signe à Messaoud de me rejoindre. Il s'arrêta sur le seuil, sa mitraillette pointée en avant. Les flammes brûlaient, hautes et droites dans l'air immobile, mettaient une vie insolite dans ce lieu de silence. J'en éprouvai un sentiment d'inquiétude.

« Ils ont eu peur de nous, dit Messaoud à voix basse. Ils ont dû fuir... »

Je secouai la tête. Pourquoi les religieux auraient-ils eu peur de nous ?

« Il faut voir ailleurs, dis-je. Et ne toucher à rien. »

Les Allemands nous avaient précédés peut-être. Ils pouvaient avoir « piégé » certains objets, selon leur habitude. Toucher aux chandeliers, par exemple, risquait de provoquer l'explosion d'une mine ou d'un engin quelconque. Messaoud me quitta. Je m'attardai dans la salle, fis quelques pas vers l'autel. Sur la croix de cuivre, le Christ supplicié penchait douloureusement la tête. La révolte et la souffrance de Silvia, je les comprenais mieux que jamais. Elles me semblaient liées à ces minutes étranges que je vivais dans la clarté de ces cierges qu'aucune main humaine ne paraissait avoir allumés. Je ne croyais pas en ce Dieu qui agonisait là, cependant, je savais que, tous les jours, dans cette guerre, recommençait cette agonie. Et je crus discerner soudain ce que les chrétiens appellent entre eux la charité. Mais comment aurais-je pu faire admettre à Silvia que mon renoncement avait été aussi un acte d'amour et peut-être l'hommage le plus haut de ma passion pour elle ? Je m'approchai encore. Je devais me méfier de l'extrême tension de mes nerfs, mais un autre mystère palpitait dans ces flammes à la pointe des cierges. C'était cela ! Ces cierges étaient à peine entamés, donc allumés depuis peu. Une heure ou moins encore ! Avec le sentiment confus d'un danger, je reculai. Il était temps de rejoindre mes hommes. Je marchai à reculons jusqu'à la porte, le colt au poing. Mon casque me serrait les tempes. Dehors, je retrouvai Messaoud qui d'un geste me montra près du puits le seau — plein d'eau — et la corde dont l'extrémité était mouillée. Nous grimpâmes à l'étage. Vides, les cellules ! Aucune trace de désordre. Des lits étroits à couverture grise.

« Ils ont dû se cacher dans le bois. Ils vont revenir ! souffla Messaoud en remuant à peine ses lèvres bleues de froid.

— Crois pas.

— Alors, les autres ? »

Comme moi, il pensait aux Allemands. Ceux-ci avaient peut-être entraîné tous les moines avec eux. Qui pouvait dire ? Il fallait continuer l'exploration.

« Et le clocher ? dis-je.

— Personne non plus. »

Nous redescendîmes. En bas, je visitai le réfectoire : des tables nues, des escabeaux, un grand crucifix de bois sur le mur du fond. On avait lavé les dalles. Tout était net, froid, et marqué cependant par une invisible présence humaine. Surtout, ne toucher à rien. J'avais avancé la main pour ouvrir un placard dans un angle. Je la retirai, partis de nouveau dans la la cour. Là-haut, les pigeons ne bougeaient pas, formaient des boules blanches et grises, en plein soleil. Messaoud s'était dirigé vers le puits. Il prit le seau d'eau, le décrocha, l'éleva jusqu'à sa bouche et but à longs traits. J'allais l'imiter lorsque retentirent les premiers coups de feu. Je reconnus le tir bas d'un G.M. Je bondis sur la terrasse. Kader se trouvait à son poste, près du fusil mitrailleur en batterie. Ses hommes étaient couchés derrière les rochers, l'arme à la main.

« Ça vient de la crête à gauche », me cria Fernandez.

La fusillade avait cessé et le silence s'était refermé sur nous, plus vaste, à peine rongé par le bruit d'eau courante que faisait le vent dans les feuillages. A la jumelle, j'examinai la crête suspecte et un bois de sapins en contrebas. L'air s'était épaissi. Il me sembla que nous étions pris dans une masse immense de cristal comme des figurines dans ces boules de verre qui servent de presse-papiers.

« Je peux aller voir, mon lieutenant, dit Fernandez, le casque un peu de travers, la jugulaire détachée.

— Prenez quatre hommes. Ne dépassez pas les arbres, en avant du mur. »

Je suivis un instant des yeux la patrouille qui descendait la pente en se défilant derrière les haies, me tournai ensuite vers le tank. Il paraissait bien mort, promis à la décomposition et à la rouille mais son canon allongé vers nous me mettait mal à l'aise. De ce côté-là aussi, je devrais vérifier. Des pigeons regagnaient le sommet du clocher qu'ils avaient abandonné un moment plus tôt dans un envol d'inquiétude. Messaoud courait vers les mulets pour houspiller les conducteurs, hâter le déchargement des munitions. J'entendis l'obus miauler à travers l'air glacé. De l'autre côté de la terrasse, le fusil mitrailleur de Kader crépita. Un autre obus explosa au pied de la colline. Cette fois, je le vis crever la rocaille, car je me tenais à l'affût contre le parapet. Désespérément, Fernandez hurla quelque chose. Il était blessé à la cuisse, couché sous les arbres, le bras tendu. Son cri ondula comme une longue écharpe rouge, trouée par le claquement des fusils. Je me tournai dans la direction qu'il indiquait. Avais-je une illusion ? Il me sembla que le tank venait de bouger ou peut-être était-ce tout le paysage qui tremblait, qui se plissait comme avant de s'enflammer une photographie qu'on jette au feu. Je voulus appeler Messaoud pour lui donner un ordre. Mais, lancée à toute allure, une locomotive me heurta de plein fouet. Son choc, d'une brutalité sauvage, me projeta en arrière, les oreilles vrillées jusqu'au fond du crâne, et je fus étonné de me retrouver le corps replié, les cuisses couvertes de terre, mon casque non loin de moi. Il me parut tout d'abord essentiel de récupérer mon casque et de m'en coiffer de nouveau. Mais ce n'était pas mon casque. C'était une tête d'homme et du corps qui la prolongeait sortaient de gros jets rutilants.

Devant moi, Messaoud parlait. Je voyais bouger ses lèvres, je ne comprenais pas ce qu'il disait et d'ailleurs cela me paraissait n'avoir aucune véritable importance. Soucieux cependant de le rassurer, de lui montrer que je n'avais rien de grave, j'essayai de me relever, mais pus à peine esquisser les gestes ou plutôt je les imaginais sans pouvoir les accomplir et j'en éprouvai cette angoisse qui vous étreint dans certains rêves où la volonté reste impuissante à se faire obéir du corps. Alors je pensai à Silvia avec une pitié infinie. Je la voyais, je voyais bien son visage sur ce fond d'arbres et de nuages, à présent que je ne bougeais plus. Un liquide épais et fade me remontait dans la bouche. Je pensais : « Pauvre, pauvre Silvia ! » tandis qu'on m'essuyait les joues, les lèvres, le menton. Des lueurs toutes proches couraient entre les cimes enneigées ; je sentais que je m'en éloignais à toute vitesse ; je tentai désespérément de résister, me soulevai sur un coude au prix d'un effort qui parut m'ouvrir la poitrine en coup de hache et vis avec stupéfaction le monde se refermer sous mes yeux comme un immense éventail.

A LA fin août, Naples subissait une chaleur africaine. La ville haletait sous un édredon de brumes qui paraissait exaspérer davantage encore l'ardeur du soleil. La mer était semée d'éclairs cruels. A l'extrémité du balcon, je pouvais l'après-midi me réfugier dans un coin d'ombre où je somnolais sur ma chaise longue. Dans la chambre, l'air immobile et poisseux me donnait la nausée. Je préférais me tenir dehors, torse nu, en pantalon de pyjama, les yeux protégés par des lunettes noires. Du dernier étage de cet immeuble de la via Cimarosa, en bordure du Vomero, j'avais vue sur les jardins de la villa Floridiana, sur une partie de la ville et sur la baie dont j'observais par jeu le changement des teintes suivant les heures.

J'avais obtenu ce petit appartement — trois pièces, ameublement moderne — par le service des réquisitions militaires. J'étais encore sous le contrôle de l'hôpital d'où j'étais sorti fin juillet. Un des cinq éclats d'obus qui m'avaient criblé s'était logé au sommet du poumon droit, non sans vriller et augmenter ses ravages.

A l'hôpital, Silvia venait me voir chaque soir. Elle s'asseyait à mon chevet, toujours très calme, très réservée, et au début, comme je n'étais pas autorisé à parler, nos rencontres demeuraient étrangement silencieuses et guindées. Et il me semblait que ces visites étaient si froides non à cause de mon état physique et de l'obligation où j'étais de ne pas me fatiguer, mais pour une raison moins immédiate et plus profonde. Cette pensée me désespérait et souvent, après le départ de Silvia, ma température montait, ce qui amusait l'infirmière qui me soignait et qui grondait pour la forme. Souvent je tentais de rendre Silvia plus proche de moi, de m'ouvrir son cœur et je lui caressais la main ou je lui murmurais des compliments qui la faisaient sourire. Mais je devinais qu'il s'agissait de sourires de complaisance ou de compassion, des sourires à fleur de lèvres qui n'exprimaient jamais cette merveilleuse tendresse dont j'avais la nostalgie.

Deux ou trois fois, les Massini accompagnèrent Silvia et se tinrent immobiles et muets au pied du lit, comme deux mannequins de cire.

Le mariage eut lieu au début de ma permission de convalescence. Les parents de Silvia avaient pu nous expédier par la Suisse les papiers nécessaires, et les autorités militaires dont je continuais à dépendre avaient accordé leur indispensable autorisation.

En revanche, ma mère m'irrita en m'envoyant une lettre maladroite où elle nous conseillait instamment, à Silvia et moi, d'attendre la fin de la guerre pour nous connaître mieux, éprouver nos sentiments, etc.

De justesse, je pus avoir Joe pour témoin. En effet, le Corps expéditionnaire français venait à peine de redescendre de la région de Sienne pour se regrouper aux environs de Naples. Il n'allait pas tarder à s'embarquer pour les opérations sur les côtes de Provence. Joe obtint, après de difficiles démarches, une permission de quelques heures seulement et accourut, la poitrine ornée de toutes ses décorations. Il se força à l'ironie sans pouvoir me donner le change. Depuis certain jour, dans les jardins de l'hôpital, je savais quelle détresse profonde le tenait.

« Malgré ma modestie foncière, j'ai sorti ma ferblanterie, dit-il. C'est pour impressionner favorablement la famille et lui faire admettre que tu as des relations flatteuses. »

Il était impatient de retrouver la France, d'entrer, les armes à la main, en Allemagne. Il assurait que la guerre serait terminée avant décembre, que les Alliés épargneraient un nouvel hiver aux millions de malheureux enfermés et menacés dans les prisons et les camps hitlériens.

Silvia avait refusé de porter une robe blanche, sans se soucier des reproches et des supplications de sa tante, farouchement attachée aux traditions.

Lasse de ces remontrances, elle avait fini par répliquer :

« Si le blanc est le signe de la virginité et de l'innocence, il n'est pas pour moi.

— Comment, non ? » dit la vieille dame en simulant l'étonnement.

J'étais là, j'admirais Silvia tenant tête à la vieille dame, et celle-ci insinuait que, tout compte fait, pour les amis et les voisins, elle pourrait céder. Et de se tourner vers moi pour quêter mon appui. Mais je me gardais bien d'intervenir. Je dis :

« Silvia fera exactement comme elle voudra. »

Je trouvais l'insistance de la tante agaçante et j'avais hâte que tout fût terminé.

Silvia revêtit donc un tailleur clair et léger, se coiffa d'un étroit chapeau de paille à rubans d'or. Joe, avant de repartir, coupa un de ces rubans pour le garder comme porte-bonheur.

A l'église vinrent nous féliciter quelques-uns de mes camarades disponibles, des amis des Massini, et Ottavia étroitement couverte d'un manteau, par cette chaleur ! et madame Ruggieri, dans une somptueuse robe violet aubergine qui, ajoutée à l'expression digne et presque austère de son visage, lui donnait l'air d'un évêque. Et, surprise heureuse, le sergent-chef Messaoud qui, envoyé à Naples en mission de liaison, avait réussi à se libérer par ruse pour nous rejoindre et présenter ses vœux. De Rome, où il dirigeait à présent l'hebdomadaire français *Présence*, Chanderli m'avait envoyé une lettre pleine d'humour aimable dans laquelle il citait Hugo : « On était vaincu par sa conquête », et terminait sur la formule arabe : « Cinq dans ton œil », hautement bénéfique.

Je me suis donc marié religieusement, bien que je ne sois pas croyant. Mais j'avais prévenu le curé que je me prêterais à la cérémonie uniquement pour respecter les convictions de Silvia. Il dut lui révéler ma démarche, car elle y fit une allusion. J'accueillis celle-ci avec une désinvolture enjouée et Silvia me regarda de façon pénétrante, comme elle l'avait fait le soir d'alerte dans le refuge.

PEU après notre installation via Cimarosa, sur le Vomero, Silvia décida de reprendre son travail à la librairie. Elle rentrait à midi et le soir par le funiculaire et je la guettais du balcon, étendu sur ma chaise longue. Comme je lui avais demandé de renoncer à son emploi chez Varella parce que je voulais la garder près de moi, elle avait objecté que ce ne serait pas raisonnable. Dit sans intention aucune, le mot se fixa dans mon esprit. Silvia prétendait faire des économies en prévision de notre prochaine installation à Alger. J'étais en effet en instance de réforme et ne tarderais pas à être rapatrié. Ma solde suffisait pourtant à notre entretien. Mais Silvia, qui avait toujours manifesté jusque-là un parfait dédain pour l'argent, prenait un goût de l'épargne qui m'amusait.

D'ailleurs, depuis que nous avions commencé notre nouvelle vie, je pouvais, de jour en jour, vérifier combien Silvia ressemblait peu à la Silvia de nos fiévreuses journées d'avril. Elle s'efforçait d'être une compagne agréable, pleine de prévenances, d'humeur égale, mais avec une application trop visible, sans la touchante spontanéité d'avant. Même pour nos étreintes, malgré une apparente complaisance, elle manquait de véritable ardeur et nos jeux amoureux ne pouvaient être comparés à nos fêtes du dernier printemps. Silvia n'y apportait plus cet abandon, cette fougue et cette sensualité qui alors me grisaient jusqu'au délire. Je constatais en elle une passivité, un repliement que j'essayais vainement de forcer ou de vaincre.

Jamais elle ne fit d'allusion aux circonstances de ma blessure. Jamais non plus elle n'évoqua notre vie dans l'ancienne maison. Par un accord tacite, nous évitions de parler de ce passé, si proche pourtant.

Parfois, la nuit, lorsque Silvia reposait à mes côtés, dans la chambre aux murs blancs et nets, j'étais réveillé par quelque rêve pénible où revenait fréquemment l'image du soldat éventré près de moi sur la terrasse, ou celle d'un oiseau énorme âprement décidé à se coucher sur ma poitrine pour m'étouffer. Alors j'allumais la lampe de chevet et, dressé sur un coude, je regardais Silvia dormir, je regardais son corps merveilleusement formé pour l'amour, j'admirais son visage, d'une beauté plus grave dans la quiétude du sommeil.

Et, parfois, si mon angoisse, née de la chaleur et de mon poumon malade, se faisait trop lourde, je me glissais jusqu'au balcon pour y trouver un peu de fraîcheur. J'essayais de me débarrasser de mes fantômes en contemplant la ville endormie, la baie luisante de lune. Ces nuits-là, je me souvenais du monastère et des cierges qui brûlaient pour rien dans le silence et la solitude. Mais peut-être ne brûlaient-ils pas pour rien ? Qui saurait dire ?

Pas un bruit ne montait des ruelles, de leurs tranchées noires et profondes. Les étoiles fleurissaient le ciel comme un vaste jardin, amical, rassurant. Je m'y promenais, appuyé à la balustrade, en réfléchissant à Silvia, en évoquant les heures passionnées qui avaient précédé en elle ce changement d'attitude. Ces souvenirs éveillaient souvent en moi des sentiments troubles et violents.

Un soir, je ne pus les contenir. J'étais occupé à lire tandis que Silvia achevait de dresser la table. Dans le crépuscule, le Vésuve perçait les brumes de chaleur et les fumées ne parvenaient même pas à se délier dans l'air immobile où des martinets tournoyaient en criant. Un chapitre de l'ouvrage relatait l'émotion d'un plongeur qui, sur un rivage grec, avait découvert dans la verte aurore des profondeurs, entre des rochers, les belles colonnes d'un temple, des colonnes couchées ou à demi dressées. Il décrivait longuement cette apparition qui l'avait transporté, mais plus tard, lorsqu'il avait voulu en retrouver le site, il explora en vain le dédale des vallées sous la mer.

Je citai ces pages à Silvia et j'ajoutai que vis-à-vis d'elle je me sentais un peu comme ce plongeur obstiné à retrouver le temple englouti. Elle comprit ce que je voulais dire et se récria. J'avais cependant employé un ton enjoué, décidé que j'étais à ne pas envenimer dès le début un entretien que je recherchais depuis quelque temps déjà et devant lequel j'avais toujours reculé.

Subitement je perdis toute prudence et lui demandai pourquoi elle gardait contre moi une rancune aussi tenace pour des faits qu'il était plus sage de rejeter dans l'oubli. Alors elle me regarda avec une intensité que je ne pus supporter. Je comprenais que ce regard était en réalité dirigé en dedans d'elle-même, vers une région de son âme qui n'avait cessé de souffrir.

« Pourquoi parles-tu ainsi ? » dit-elle.

Je n'osai continuer et demeurai silencieux, le cœur battant à lentes pulsations. Silvia alluma une cigarette, se dirigea vers la fenêtre dont elle écarta vivement le rideau. La clarté qui tombait du ciel toucha son front, ses pommettes, ses paupières et transforma l'expression fermée de son visage jusqu'à la dureté.

J'étais assis et peut-être était-ce cette chaleur d'août qui, sans que je fisse le moindre mouvement, me couvrait de sueur. Je dis d'un ton calme :

« C'est que tu as beaucoup changé. »

Je vis ses longs cils noirs battre nerveusement, puis elle demanda :

« Si c'est un reproche, m'est-il interdit de te le retourner ? »

Non, elle ne désarmait pas ! Ah ! j'avais eu tort de provoquer cette scène, je le regrettais déjà, prêt à battre en retraite. Silvia restait la plus forte, au moins par cette flamme inaltérable qui en elle ne s'éteindrait jamais. Toujours, elle revendiquerait son attitude. J'en étais ébloui, effrayé.

Je me levai, m'approchai d'elle, la pris dans mes bras, lui dis que je doutais qu'elle m'aimât encore, qu'elle m'aimât vraiment et, à ce jeu — car c'en était un pour me dégager — j'espérais la réponse habituelle, et Silvia n'y faillit pas. Elle répliqua qu'elle m'aimait, qu'il n'y avait en elle aucune arrière-pensée. Puis comme un argument décisif, elle ajouta :

« Sinon, t'aurais-je épousé ? »

Et c'est vrai qu'elle était bien trop droite pour tricher avec elle-même. Elle avait mis son regard dans le mien, un regard assuré, un regard clair mais où je ne trouvais plus cette passion qui l'avait dévorée vive, ni cette lumière qui naguère encore m'isolait magiquement du monde !

PEUT-ÊTRE en effet ne dois-je m'en prendre qu'à moi-même ? Peut-être était-ce l'ardeur de ma passion qui avait brûlé Silvia, comme ces arbres sur les pentes du Vésuve qui s'enflammaient d'un seul coup, grandes torches rouges, à l'approche des laves ? Il m'arrivait d'éprouver un besoin désespéré de l'ancienne Silvia et je l'embrassais alors avec emportement ou, au contraire, je la caressais avec tendresse et elle se laissait faire en souriant mais avec une sorte de complaisance ou de langueur nonchalente. Je me disais que je devrais attendre, patienter. Je voulais croire que je retrouverais un jour dans la voix de Silvia ce frémissement que je connaissais bien, et dans ses yeux, ce regard dilaté, plein d'illusions radieuses.

Cependant, la veille, un petit fait, en apparence anodin, m'avait donné la mesure de notre malentendu.

Comme nous allions dîner chez les Massini, je rencontrai via Roma, en face de la Galleria toujours aussi fréquentée et animée, des soldats alliés groupés devant un bar. Ils écoutaient un poste de radio qui donnait les nouvelles du débarquement de Provence. Je pensai à Joe et aux camarades, m'approchai en jouant des coudes. La voix blanche du speaker annonçait l'effondrement de la résistance allemande et la libération de villes aux noms ensoleillés. Un peu excité, je me mis à commenter l'affaire avec des civils italiens qui m'entouraient. Et soudain, je m'aperçus que Silvia venait de disparaître ! Je la cherchai. Elle m'attendait simplement à l'écart. Mais en me voyant surgir, elle me sourit de cette manière énigmatique qu'elle avait au temps de nos premières rencontres.

Je me suis empressé, lui ai dit pour m'excuser qu'il s'agissait d'un événement très important. La guerre n'allait pas tarder à finir. Elle m'a approuvé d'un signe de tête. Pour mieux l'émouvoir, j'ai ajouté que les Allemands évacueraient l'Italie du Nord. Elle pourrait bientôt revoir Milan, retrouver sa famille... Elle m'a de nouveau approuvé, mais sans se laisser gagner par ma fièvre et nous avons marché côte à côte en silence. Parfois je m'appuyais à son bras, parfois sur la canne dont on m'avait doté à l'hôpital et qui m'aidait réellement pour un trajet trop long.

Je continuai à expliquer à Silvia le prochain déroulement de la guerre, mais il me semblait que le petit incident du café avait un sens. Et j'ai compris brusquement que Silvia refusait d'enfermer sa vie dans le moindre mensonge, pour justifié qu'il fût aux yeux du monde entier. J'ai compris aussi — dans le même instant — ce qu'il y avait de tragique dans le bonheur, et c'est qu'il ne peut jamais être innocent. On peut me dire que c'est là une vérité très simple mais ce qui compte c'est qu'elle oblige à choisir ou à composer.

Chez les Massini, je m'étais assis sur un divan entre des piles de corbeilles et de livres, le mannequin de couturière penché au-dessus de moi. L'oncle Massini me tenait compagnie. Une grosse chevalière brillait férocement à chacun de ses gestes. Nous fumions. Il me parlait du procès de Vérone et de la mort du comte Ciano dont il avait connu la famille.

« C'est la faute de Ribbentrop, plus que de Mussolini, si on a fusillé ce garçon... »

Tant de choses mouraient dans cette guerre ! Je ne parvenais pas à me passionner pour la tragédie de Vérone. La tante Massini allait et venait, serrée jusqu'au cou dans une sévère robe noire. Elle avait le visage tiré et cette moue douloureuse qu'affectent les personnes à qui on inflige mille sujets de peine.

En fait, je n'avais de véritable attention que pour Silvia. A l'observer, j'éprouvais un sentiment complexe de reconnaissance et d'humilité. Non, je ne regrettais rien de ce que j'avais fait, je ne reniais rien non plus et je me le répétais sans cesse, de la suivre des yeux. Silvia, belle et désirable, le corps libre dans une légère robe d'été, ses cheveux sombres ramenés en arrière, ce qui donnait à son profil une tendresse nouvelle ! Silvia lointaine, indifférente à mon regard tendu, et comme repliée sur un secret !

A présent, Massini s'était arrêté de parler. Sans doute avait-il deviné que je l'écoutais mal, que j'avais l'esprit ailleurs. Et moi, les jambes allongées, la cigarette abandonnée au coin des lèvres, je me persuadais paresseusement que

IMPRIMÉ EN FRANCE PAR BRODARD ET TAUPIN
6, place d'Alleray - Paris.
Usine de La Flèche, le 01-04-1971.
6433-5 - Dépôt légal n° 248, 2e trimestre 1971.
LE LIVRE DE POCHE - 22, avenue Pierre 1er de Serbie - Paris.
30 -21 - 3115 - 01

Bien aimé ce livre!
Beaucoup de poésie.